ARTHUR CONAN DOYLE

UM ESTUDO EM VERMELHO

1ª EDIÇÃO

Todos os direitos reservados.
Copyright © 2019 by Editora Pandorga

Direção editorial
Silvia Vasconcelos
Produção editorial
Equipe Editora Pandorga
Preparação
Gabriela Peres Gomes
Revisão
Gabriela Peres Gomes
Capa
Lumiar Design
Tradução
Sarah Bento Pereira
Diagramação
Danielle Fróes

Texto de acordo com as normas do Novo Acordo Ortográfico da Língua Portuguesa
(Decreto Legislativo nº 54, de 1995)

Dados Internacionais de Catalogação na Publicação (CIP)

D784e Doyle, Arthur Conan
1.ed.   Um estudo em vermelho / Arthur Conan Doyle; tradução de Sarah Bento Pereira. – 1.ed. – São Paulo: Pandorga, 2019.
136 p.; 14 x 21 cm.

ISBN: 978-85-8442-426-9

1. Literatura inglesa. 2. Ficção. 3. Aventura. 4. Sherlock Holmes. I. Pereira, Sarah Bento. II. Título.

CDD 820

Índice para catálogo sistemático:
1. Literatura inglesa: ficção
2. Aventura: Sherlock Holmes

Bibliotecária responsável: Aline Graziele Benitez CRB-1/3129

2019
IMPRESSO NO BRASIL
PRINTED IN BRAZIL
DIREITOS CEDIDOS PARA ESTA EDIÇÃO À
EDITORA PANDORGA
Rodovia Raposo Tavares, km 22
CEP: 06709015 – Lageadinho – Cotia – SP
Tel. (11) 4612-6404

SUMÁRIO

Apresentação 7

PARTE I

Capítulo I	Sr. Sherlock Holmes	10
Capítulo II	A ciência da dedução	19
Capítulo III	O mistério de Lauriston Gardens	29
Capítulo IV	O que John Rance tinha a dizer	41
Capítulo V	Nosso anúncio traz um visitante	48
Capítulo VI	Tobias Gregson mostra o que pode fazer ...	55
Capítulo VII	Luz na escuridão	65

PARTE II

Capítulo I	Na grande planície alcalina	77
Capítulo II	A flor de Utah	87
Capítulo III	John Ferrier fala com o Profeta	94
Capítulo IV	Uma fuga desesperada	100
Capítulo V	Os Anjos Vingadores	109
Capítulo VI	A continuação das reminiscências do Dr. John Watson	119
Capítulo VII	A conclusão	130

APRESENTAÇÃO

A obra de Sir Arthur Conan Doyle (1859-1930) contempla gêneros tão variados quanto a ficção científica, as novelas históricas, a poesia e a não ficção. Porém, sem dúvida, seu maior reconhecimento vem dos contos e romances do detetive Sherlock Holmes e seu fiel parceiro e amigo, o Dr. Watson. Mais de 130 anos após sua criação, continua sendo o detetive ficcional mais popular da história.

A primeira aparição dos personagens se dá em *Um Estudo em Vermelho*, publicado em 1887 pela revista *Beeton's Christmas Annual*, que introduziu ao público aqueles que se tornariam os mais conhecidos personagens de histórias de detetive da literatura universal. Doyle não esconde que a obra de Edgar Allan Poe teve grande influência em sua escrita. O personagem de Monsieur C. Auguste Dupin, de *Os assassinatos na Rua Morgue*, em muito ajudou a compor Holmes, principalmente no que diz respeito à técnica do "princípio da dedução", utilizada para resolver os casos. Mas é com Holmes e Watson que o método é imortalizado.

Os contos nunca deixaram de ser reimpressos desde que o primeiro deles foi publicado, e são traduzidos até hoje em diversas línguas pelo mundo. Centenas de encenações encarnaram a dupla nos palcos, no rádio e nas telas; revistas e livros sobre o detetive são lançados todo ano. Infinitamente imitado, parodiado e citado, Holmes já foi identificado como uma das três personalidades mais conhecidas do mundo ocidental, ao lado de Mickey Mouse e do Papai Noel.

Outros trabalhos de Conan Doyle foram obscurecidos pelo personagem, e, em dezembro de 1893, ele mata Holmes no conto *O problema final* (*Memórias de Sherlock Holmes*), mas o ressuscita no romance *O Cão dos Baskerville*, publicado entre 1902 e 1903, e no conto *A Casa Vazia* (*A ciclista solitária*), de 1903, quando Conan Doyle sucumbe à pressão do público e revela que o detetive conseguiu burlar a morte.

PARTE I

(Sendo uma reimpressão das reminiscências do DR. JOHN H. WATSON, ex-membro do Departamento Médico do Exército).

CAPÍTULO I

Sr. Sherlock Holmes

No ano de 1878, consegui meu diploma de Doutor em Medicina pela Universidade de Londres e prossegui para Netley para participar do curso para cirurgiões oferecido pelo exército. Tendo completado meus estudos ali, fui devidamente enviado à 5ª Companhia de Fuzileiros de Northumberland como um cirurgião assistente. Nesse período, o regimento estava estacionado na Índia, mas a segunda guerra do Afeganistão estourou antes que pudesse me juntar a eles. Chegando em Bombaim, descobri que minha corporação já havia avançado pelos desfiladeiros e se encontrava bem adentro do território inimigo. No entanto, eu os segui, juntamente com muitos outros oficiais que estavam na mesma situação que eu, e conseguimos chegar a salvo em Candahar. Ali encontrei meu regimento e comecei meus novos deveres.

A campanha trouxe honras e promoção para muitos, mas, para mim, não trouxe nada além de desastres e infortúnios. Fui removido da minha brigada e enviado à de Berkshires, na qual servi na mortal batalha de Maiwand. Nessa ocasião, fui atingido no ombro por uma bala jezail, que estraçalhou o osso e passou de raspão na artéria subclávia. Eu teria caído nas mãos dos *ghazis*[1] se não fosse pela coragem e devoção mostrada por Murray, meu superior, que me jogou no lombo de um cavalo de carga e conseguiu me trazer em segurança para as linhas de frente britânicas.

---

1. Designação honrosa para guerreiros muçulmanos veteranos. Os *ghazis* tinham fama de usar tortura e métodos penosos.

Esgotado por conta da dor e combalido pelas prolongadas privações por que passara, fui removido, com um grande comboio de feridos, para o hospital base em Peshawar. Ali me reanimei, e já havia me restabelecido a ponto de ser capaz de caminhar pelas enfermarias, e até de tomar um pouco de sol na varanda, quando fui acometido pela febre entérica, aquela maldição de nossas possessões indianas. Fiquei desenganado por meses, e, quando finalmente voltei a mim e comecei a convalescer, estava tão fraco e emaciado que uma junta médica decidiu que não deveria esperar nem mais um dia sequer antes de me mandar de volta para a Inglaterra. Fui despachado no navio de transporte de tropas *Orontes*, em conformidade, e atracamos um mês depois no cais de Portsmouth, com minha saúde totalmente arruinada, mas com permissão de um governo paternal para empregar os nove meses seguintes na tentativa de melhorá-la.

Eu não tinha amigos nem parentes na Inglaterra e, portanto, estava livre como o ar – ou tão livre quanto um salário de onze xelins e seis *pence* por dia permite que um homem seja. Dentro dessas circuntâncias, naturalmente me precipitei para Londres, aquela grande fossa para onde todos os vadios e ociosos do Império são inevitavelmente drenados. Fiquei hospedado por um tempo em um hotel privado em Strand, vivendo uma existência desconfortável e insignificante, gastando todo meu dinheiro de forma mais permissiva do que deveria. O estado das minhas finanças ficou tão alarmante que rapidamente percebi: ou deveria sair da metrópole e viver rusticamente no campo ou deveria fazer uma completa alteração no meu estilo de vida. Escolhendo a segunda opção, comecei convencendo-me a sair do hotel e levar meu parco dinheiro para um lugar menos pretensioso e mais barato.

No mesmo dia em que cheguei a essa conclusão, estava parado no pub Criterion quando alguém bateu em meu ombro. Virando-me, reconheci o jovem Stamford, que havia sido meu assistente no Bart's. Avistar um rosto amigo dentro da imensidão de Londres é uma alegria para um homem solitário. Naqueles anos, Stamford não havia sido um amigo íntimo, mas agora eu o saudava com estusiasmo, e ele, em troca, pareceu satisfeito em me ver. Em minha empolgação, convidei-o para almoçar comigo em Holborn, e seguimos juntos em um cabriolé de aluguel.

— O que tem acontecido em sua vida, Watson? — perguntou com admiração mal disfarçada conforme percorríamos as ruas lotadas de Londres. — Você está tão magro quanto uma ripa e marrom como uma noz.

Dei a ele um pequeno resumo das minhas aventuras e concluí com dificuldade no momento em que chegamos ao nosso destino.

— Pobre coitado! — exclamou com compaixão após ouvir meus infortúnios. — O que você está fazendo agora?

— Procurando acomodações — respondi. — Tentando descobrir se é possível conseguir quartos confortáveis a preços razoáveis.

— Que coisa estranha — observou meu companheiro. — Você é o segundo homem a usar essa expressão comigo hoje.

— E quem foi o primeiro? — perguntei.

— Um camarada que está trabalhando no laboratório químico do hospital. Essa manhã, ele estava se lamentando porque não conseguia encontrar alguém para dividir o aluguel de alguns quartos que havia arranjado e que eram muito além do que podia pagar.

— Por Deus! — exclamei. — Se ele realmente quer alguém para dividir as acomodações e os gastos, eu sou o homem certo. Prefiro ter um companheiro a morar sozinho.

Jovem Stamford me olhou de forma estranha por sobre a taça de vinho.

— Você ainda não conhece Sherlock Holmes. Talvez você se incomode com sua companhia constante.

— Por quê? O que há de errado com ele?

— Oh, eu não disse isso. Ele é meio esquisito das ideias, e um aficionado em algumas áreas da ciência. Até onde sei, ele é um camarada decente.

— Suponho que é um estudante de medicina?

— Não. Mas não tenho ideia do que pretende. Acredito que é grande conhecedor de anatomia e é excelente químico, mas, até onde sei, nunca frequentou aulas sistemáticas de medicina. Seus estudos são inconstantes e excêntricos, mas ele tem acumulado estudos não tradicionais que poderiam surpreender seus professores.

— Você nunca perguntou o que ele estava almejando? — questionei.

— Não, ele não é um homem que se abre facilmente, apesar de que pode ser bem comunicativo quando a imaginação o prende.

— Gostaria de conhecê-lo — respondi. — Se for para me hospedar com alguém, prefiro um homem com hábitos quietos e estudiosos. Ainda não estou forte o suficiente para aguentar muito barulho ou agito. Tive o suficiente disso no Afeganistão para o resto da minha existência. Como posso conhecer esse seu amigo?

— Ele com certeza está no laboratório — replicou meu companheiro. — Ou ele evita o lugar por semanas, ou trabalha lá o dia inteiro. Se quiser, iremos juntos após o almoço.

— Certamente — confirmei, e a conversa mudou para outros assuntos.

A caminho do hospital, após sairmos de Holborn, Stamford dividiu mais algumas particularidades sobre o cavalheiro que talvez viesse a ser meu companheiro de casa.

— Você não pode me culpar se não se der bem com ele — declarou. — Não sei nada dele além do que aprendi em alguns encontros ocasionais no laboratório. Você propôs o arranjo, então não pode me responsabilizar.

— Se não nos dermos bem, será fácil nos separar — rebati. — Parece-me, Stamford — acrescentei, olhando firme para ele —, que tem alguma razão para lavar suas mãos sobre o assunto. O temperamento desse camarada é tão formidável, ou o quê? Não seja tão hesitante sobre isso.

— Não é fácil expressar o inexpressível — retrucou com uma risada. — Holmes é um científico demais para o meu gosto... aproxima-se de sangue frio. Consigo imaginá-lo dando uma pitada do mais recente alcaloide vegetal a um amigo. Veja, não seria por malevolência, mas simplesmente vindo de um espírito de investigação, a fim de ter uma ideia precisa dos efeitos. Para ser justo, acredito que ele tomaria com a mesma prontidão. Parece haver nele uma paixão pela exatidão e pelo conhecimento.

— Muito correto da parte dele.
— Sim, mas talvez seja levado ao excesso. Quando se trata de espancar cadáveres de animais nos dissecadores com um bastão, a história certamente está sendo conduzida de uma forma bizarra.
— Batendo nos cadáveres!
— Sim, para verificar quantas contusões podem ser produzidas após a morte. Eu o vi fazendo isso com meus próprios olhos.
— E mesmo assim você afirma que ele não é estudante de Medicina?
— Não. Só Deus sabe quais são os seus objetos de estudo. Mas aqui estamos e você deve formar suas próprias opiniões. — Enquanto ele falava, viramos em um beco estreito e passamos por uma pequena porta lateral que abria em uma ala do hospital grandioso. Era um lugar familiar para mim e não precisava de guia conforme fazíamos nosso caminho pelo grande corredor com suas vistas para paredes pintadas de branco e portas de cor parda. No final dele, havia uma passagem arqueada que levava até o laboratório químico.

Esta era uma sala alta, revestida e bagunçada com inúmeros frascos. Mesas baixas e largas estavam espalhadas, repletas de retortas, tubos de ensaio e pequenos bicos de Bunsen com suas chamas azuis cintilantes. Só havia um estudante na sala que estava se curvando sobre uma mesa, compenetrado em seu trabalho. Olhou para cima com o som dos nossos passos e pulou de felicidade, exclamando.

— Encontrei! Encontrei! — gritou para meu companheiro, correndo em nossa direção segurando um tubo de ensaio. — Encontrei um reagente que é precipitado pela hemoglobina, e nada mais. — Suas feições não mostrariam uma felicidade maior nem se ele houvesse descoberto uma mina de ouro.

— Dr. Watson, Sr. Sherlock Holmes — disse Stamford, apresentando-nos.

— Como está? — perguntou ele de forma cordial, apertando minha mão com uma força que não imaginei que teria. — Percebo que esteve no Afeganistão.

— Como você sabia disso? — perguntei, maravilhado.

— Não importa — respondeu, rindo consigo mesmo. — A questão agora é sobre a hemoglobina. Sem dúvida você percebe a importância do que descobri?

— Quimicamente é interessante, sem dúvidas, mas na prática...

— Ora, homem, essa é a descoberta médico-legal mais prática dos últimos anos. Não percebe que isso nos dá um teste infalível para manchas de sangue? Venha aqui agora! — Em sua ânsia, agarrou-me pela manga do casaco e me levou até a mesa em que estava trabalhando. — Vamos tirar algum sangue novo — falou enquanto furava o dedo com uma longa agulha e colocava o sangue em um conta-gotas. — Agora eu acrescento um litro de água a essa pequena quantidade de sangue. Perceba que a mistura resultante tem aparência de água pura. A proporção de sangue não pode ser maior do que uma em um milhão. No entanto, não tenho dúvidas de que serei capaz de obter a reação característica. — Enquanto falava, jogou um pouco de cristais brancos dentro da vasilha e então adicionou algumas gotas de um líquido transparente. Em um instante, o conteúdo assumiu uma maçante cor de mogno e um pó amarronzado precipitou para o fundo do jarro de vidro.

— Ahá! — exclamou, batendo as mãos, olhando para o seu novo brinquedo com a empolgação de uma criança. — O que acha disso?

— Parece ser um teste bastante delicado — observei.

— Lindo! Lindo! O velho teste de Guaiaco era bagunçado e incerto. Assim como o exame microscópico para corpúsculos de sangue, que não funciona se as manchas já tiverem algumas horas. Agora, este parece funcionar tanto com sangue novo quanto velho. Se este teste já houvesse sido inventado, centenas de homens andando por esta Terra já estariam há muito tempo pagando por seus crimes.

— De fato — murmurei.

— Casos de crimes continuam dependentes desse ponto. Um homem vira suspeito de um crime meses após tê-lo cometido. Examinam-se as roupas e são descobertas manchas amarronzadas. São manchas de sangue, de poeira, de fruta, ou do quê? Essa é a questão que tem intrigado muitos experts, e por quê? Porque não havia testes confiáveis. Agora nós temos o teste Sherlock Holmes e não haverá mais qualquer dificuldade.

Seus olhos brilharam conforme falou, e ele pousou as mãos sobre o coração e curvou-se como se uma multidão tivesse sido conjurada em sua mente para aplaudi-lo.

— Você deve ser parabenizado — observei com considerável surpresa pelo seu entusiasmo.

— Ano passado, em Frankfurt, houve o caso do Von Bischoff. Ele com certeza teria sido enforcado se este teste já existisse. E então houve os casos do Mason de Brandford, o notório caso Muller, do Lefevre de Montpellier e de Samson de Nova Orleans. Eu poderia nomear dezenas de casos nos quais o teste teria sido decisivo.

— Parece que tem acompanhado o calendário de crimes — comentou Stamford com uma risada. — Poderia dar início a um jornal nessa linha. Chamaria "Notícias Policiais do Passado".

— Seria uma leitura deveras interessante — disse Sherlock Holmes, colocando um pouco de emplastro no furo em seu dedo. Virou-se para mim com um sorriso e continuou: — Tenho que ser cuidadoso porque mexo com venenos constantemente. — Ergueu a mão enquanto falava e vi que estava toda manchada com pedaços semelhantes de emplastro e descolorida por ácidos fortes.

— Viemos aqui a negócios — anunciou Stamford, sentando-se em um banquinho alto com três pernas e empurrando outro com os pés em minha direção. — Meu amigo aqui quer dividir uma hospedagem e, como você estava reclamando por não conseguir alguém para morar com você, pensei que era melhor juntar os dois.

Sherlock Holmes parecia encantado com a ideia de dividir acomodações comigo.

— Estou de olho em um apartamento em Baker Street — contou ele — que seria ótimo para nossas necessidades. Não se importa com o cheiro forte de tabaco, espero?

— Eu mesmo sempre fumo *ships* — respondi.

— É bom o suficiente. Geralmente tenho produtos químicos ao redor e às vezes faço experimentos. Isso o incomodaria?

— De forma alguma.

— Deixe-me ver quais são minhas outras falhas. Há períodos em que fico depressivo e não abro minha boca por dias inteiros. Não deve pensar que estou mal-humorado quando fizer isso. Apenas deixe-me sozinho e em breve estarei bem. O que você tem para confessar? É bom que dois companheiros saibam o pior do outro antes de começarem a viver juntos.

Ri do seu interrogatório.

— Tenho um filhote de buldogue — respondi —, oponho-me a barulhos porque tenho nervos fracos, levanto-me a qualquer hora ingrata e sou extremamente preguiçoso. Tenho outros conjuntos de vícios quando estou bem, mas esses são os principais atualmente.

— Você incluiria tocar violino em sua categoria de barulhos? — perguntou, ansioso.

— Depende do músico — repliquei. — Um bom tocador de violino é um presente dos deuses, um mau tocador...

— Oh, está tudo bem! — exclamou com uma risada feliz. — Acho que devemos considerar como decidido... Isso se os quartos estiverem de seu agrado.

— Quando podemos vê-los?

— Encontre-me aqui amanhã ao meio-dia e iremos juntos para decidir tudo.

— Tudo bem, ao meio-dia em ponto — respondi, apertando sua mão.

Nós o deixamos trabalhando em suas químicas e caminhamos juntos até o meu hotel.

— Aliás — perguntei subitamente, parando e virando-me para Stamford —, como raios ele sabia que eu estive no Afeganistão?

Meu companheiro sorriu enigmaticamente.

— Esse é só seu jeito peculiar. Um bom número de pessoas já quis saber como ele descobre as coisas.

— Oh! Então é um mistério, não é? — exclamei, esfregando as mãos. — Isso é bem estimulante. Sou-lhe muito grato por nos apresentar. "O estudo adequado da humanidade é o homem", como você sabe.

— Então, deve estudá-lo. Você descobrirá que é um problema complicado. Aposto que ele aprende mais de você do que o contrário. Adeus — despediu-se Stamford.

— Adeus — respondi enquanto caminhava para o meu hotel, consideravelmente interessado em meu novo conhecido.

CAPÍTULO II
A ciência da dedução

Encontramo-nos no dia seguinte, conforme tínhamos combinado, e inspecionamos os quartos do número 221B, na Baker Street, dos quais ele tinha falado em nosso encontro. Os aposentos consistiam em dois quartos confortáveis e uma única sala de estar arejada, com móveis alegres e iluminada por duas janelas largas. O apartamento era tão desejável em todos os sentidos, e os custos eram tão razoáveis quando divididos entre nós dois, que a negociação foi concluída no local e obtivemos a posse imediatamente. Levei minhas coisas do hotel naquela mesma noite, e na manhã seguinte, Sherlock Holmes me seguiu com diversas caixas e maletas. Por um dia ou dois, ficamos ocupados em desempacotar nossas coisas e as dispondo para nosso melhor proveito. Feito isso, gradualmente começamos a nos estabelecer e a nos acomodar em nosso novo ambiente.

Holmes certamente não era um homem difícil de conviver. Era quieto do seu jeito e seus hábitos eram regulares. Era raro que ficasse acordado após as dez da noite e costumava fazer o desjejum e sair antes que eu acordasse. Às vezes passava os dias no laboratório químico, outras vezes nas salas de dissecação e, ocasionalmente, em longas caminhadas, que pareciam levá-lo às áreas mais pobres da cidade. Nada poderia exceder sua energia quando as pressões do trabalho estavam sobre ele, mas, uma vez ou outra, uma reação o abateria e ele passaria dias deitado no sofá da sala de estar, mal pronunciando uma palavra ou movendo um músculo, do amanhecer ao anoitecer. Nessas ocasiões, eu notava uma vaga expressão sonhadora em seus olhos, o que poderia me fazer suspeitar de que talvez fosse viciado em algum tipo de narcótico, não fosse pela sobriedade e limpeza em toda sua vida que me impediam tal pensamento.

Conforme as semanas se passavam, meu interesse nele e em seus objetivos de vida cresceram gradualmente e se aprofundaram. Sua própria pessoa e aparência chamavam a atenção do observador mais casual. Tinha mais de 1,80 m de altura e era excessivamente magro, o que o fazia parecer mais alto. Seus olhos eram penetrantes e afiados, salvo durante aqueles intervalos de torpor que mencionei; e seu nariz fino como o de um falcão conferia ao seu semblante um ar de alerta e decisão. O queixo, quadrado e proeminente, também marcava a determinação do homem. Suas mãos invariavelmente estavam salpicadas de tinta ou manchadas com químicos, mas, mesmo assim, ele era dotado de uma extraordinária delicadeza no toque, como frequentemente tive a ocasião de observar quando o assistia manipular os frágeis instrumentos científicos.

O leitor pode me classificar como um intrometido inveterado, porém, devo confessar o quanto esse homem intrigava minha curiosidade e com que frequência tentei romper a reticência que ele mostrava com tudo que o interessava. Todavia, antes de julgar, lembre-se de que minha vida não era dotada de objetivos e que não havia muito que prendesse minha atenção. Minha saúde impedia de me aventurar do lado de fora, a menos que o tempo estivesse excepcionalmente bom, e eu não tinha amigos a quem pudesse chamar para quebrar a monotonia da minha existência. Nessas circunstâncias, saudei com avidez o mistério que rodeava o meu companheiro e empreguei muito tempo esforçando-me para desvendá-lo.

Ele não estava estudando Medicina. Tinha confirmado a mim a opinião formulada por Stamford a esse respeito. Também não parecia ter procurado algum curso que conferisse a ele um diploma em ciências ou qualquer outro reconhecimento que poderia garantir-lhe a entrada ao mundo do ensino. Mesmo assim, seu zelo por certos estudos era notável e, dentro dos limites excêntricos, seu conhecimento era tão extraordinário, amplo e minucioso que suas observações me surpreendiam em demasiado. Certamente, nenhum homem trabalharia tanto ou obteria tantas informações precisas a menos que tivesse um objetivo final em mente. Leitores que não se prendem a um assunto específico raramente são notados pela exatidão da sua aprendizagem. Ninguém sobrecarrega a mente com certos pormenores a menos que haja alguma boa razão para tanto.

Sua ignorância era tão estonteante quanto seu conhecimento. Ele parecia saber quase nada sobre literatura contemporânea, filosofia e política. Quando citei Thomas Carlyle, perguntou-me com a maior naturalidade quem ele poderia ser e o que havia feito. No entanto, meu nível de surpresa atingiu o clímax quando, de forma acidental, descobri que ele era ignorante em relação à Teoria Copernicana e à composição do Sistema Solar. Pareceu-me um fato extraordinário que qualquer homem civilizado no século XIX não soubesse que a Terra viaja ao redor do Sol; eu mal conseguia acreditar.

— Você parece atônito — disse ele, sorrindo da minha expressão de surpresa. — Agora que sei disso, farei o meu melhor para esquecer.

— Esquecer!

— Veja — explicou —, considero que o cérebro de um homem originalmente é como um sótão vazio, e você tem que enchê-lo de móveis da sua escolha. Um tolo amontoa todo tipo de coisas velhas que chegam. Então, quando aquele conhecimento que pode lhe ser útil fica perdido em meio ao entulho, fica difícil encontrá-lo. No entanto, o trabalhador hábil é muito cuidadoso em relação ao que permite entrar em seu cérebro-sótão. Ele nunca guardará nada lá além das ferramentas que poderão ajudá-lo em seu trabalho, das quais possui grande variedade, e tudo na mais perfeita ordem. É um erro pensar que essa pequena área possui paredes elásticas e pode se expandir em qualquer extensão. Portanto, chega um momento em que, para cada adição de conhecimento, você esquece algo que sabia antes. Por isso, é de maior importância não possuirmos fatos inúteis que expulsem os úteis.

— Mas o Sistema Solar! — protestei.

— Que diabos isso significa para mim? — interrompeu-me sem paciência. — Você diz que giramos ao redor do Sol. Se fosse ao redor da Lua, não faria a mínima diferença para mim ou para meu trabalho.

Estava a ponto de perguntar o que seria esse trabalho, mas algo em sua postura me mostrou que esse questionamento não seria bem-vindo. Contudo, ponderei sobre nossa rápida conversa e me esforcei para tirar minhas conclusões. Ele disse que não iria adquirir nenhum conhecimento que não acrescentasse aos seus objetos de estudo. Assim, todo conhecimento que possuía era e seria útil para ele. Enumerei em minha mente todos os pontos variados em que ele me mostrou ser excepcionalmente bem-informado. Até peguei um lápis e os anotei. Não pude deixar de sorrir ao papel quando o completei. Ficou deste jeito:

Sherlock Holmes: suas limitações.

Literatura	Zero
Filosofia	Zero
Astronomia	Zero
Política	Fraco
Botânica	Variável: conhecimento alto em beladona, ópio e venenos em geral. Não sabe nada de jardinagem prática.
Geologia	Prático, mas limitado: capaz de distinguir diferentes tipos de solo em um relance. Após caminhadas, mostrou-me salpicos em suas calças e me disse, com base em sua cor e consistência, em que parte de Londres se sujou.
Química	Profundo
Anatomia	Preciso, mas assistemático.
Literatura sensacionalista	Imenso. Ele parece saber cada detalhe de cada horror perpetrado no século.
Leis britânicas	Tem conhecimento prático.

É especialista em esgrima, um exímio boxer e espadachim.
Toca violino muito bem.

Quando minha lista já estava completa, lancei-a no fogo com aflição. "Se apenas pudesse descobrir o que impulsiona o camarada relacionando todas essas conquistas e descobrindo o que as conecta. Talvez eu devesse desistir de tentar de uma vez", murmurei para mim mesmo. Percebi que fiz rápida menção aos seus talentos como violinista. Eram bem notáveis, mas tão excêntricos quanto as outras realizações. Que ele podia tocar peças, e as mais difíceis, eu bem sabia, porque eu já havia solicitado que me tocasse algumas de *Lieder* de Mendelssohn e outras famosas. Todavia, quando deixado sozinho, ele raramente produzia alguma música ou tentava tocar algo conhecido. Reclinado em sua poltrona ao anoitecer, ele fechava os olhos e arranhava de forma descuidada o violino apoiado em seus joelhos. Algumas vezes os acordes soavam melancólicos. Em outras ocasiões, eram alegres e fantásticos. Era evidente que refletiam os pensamentos que o governavam, mas eu não conseguia determinar se a música era o resultado da sua mente ou um ato de capricho. Eu poderia ter me rebelado contra esses solos exasperados se ele geralmente não terminasse tocando uma rápida sucessão de uma série dos meus favoritos como uma compensação pelo tormento a que minha paciência fora submetida.

Não tivemos visitas durante a primeira semana, ou pouco mais, e comecei a pensar que meu companheiro era tão sem amigos quanto eu. Contudo, um pouco depois descobri que ele tem diversos conhecidos das mais diferentes classes da sociedade. Havia um sujeito pálido, com cara de rato e olhos escuros, que foi apresentado a mim como Sr. Lestrade, e que veio três ou quatro vezes na mesma semana. Outra manhã, foi uma jovem dama que chegou elegantemente vestida e ficou por uma hora e meia ou mais. A mesma tarde trouxe um senhor grisalho, decadente, com ares de ambulante judeu, que me pareceu bastante agitado e que foi seguido de perto por uma senhora idosa desleixada.

Em outra ocasião, um cavalheiro de cabeleira branca teve uma entrevista com meu companheiro; em outra, foi um porteiro ferroviário em seu uniforme de veludo. Quando qualquer um desses indescritíveis indivíduos aparecia, Sherlock Holmes costumava implorar pelo uso da sala de estar e eu me retirava para o meu quarto. Ele sempre se desculpava pela inconveniência:

— Tenho que usar esse cômodo como um lugar de negócios — dizia —, e essas pessoas são meus clientes. — Novamente tive a oportunidade de perguntar sobre seu trabalho, e novamente minha sensibilidade me impediu de forçar outro homem a depositar sua confiança em mim. Na época, imaginei que ele tivesse algum motivo forte para não se referir a isso, mas ele logo afastou essa ideia quando levantou o assunto por conta própria.

Foi por volta do dia 4 de março, como tenho um bom motivo para lembrar, já que por alguma razão acordei mais cedo do que o normal e descobri que Sherlock Holmes ainda não tinha terminado seu desjejum. A governanta já estava tão acostumada com meus hábitos tardios que meu lugar não havia sido arrumado nem meu café preparado. Com a petulância irracional da humanidade, toquei o sino e dei uma breve sugestão de que estava pronto. Então, peguei uma revista da mesa e tentei matar o tempo com ela enquanto meu companheiro mastigava sua torrada silenciosamente. A manchete de um dos artigos estava marcada a lápis e eu naturalmente comecei a correr meus olhos por ela.

O título, meio ambicioso, era "O livro da vida", e tentava mostrar como um homem atento poderia aprender por meio de um exame correto e sistemático de tudo que chegava até ele. Isso me pareceu uma mistura notável de perspicácia e de absurdo. O raciocínio era rigoroso e intenso, mas as deduções me pareceram absurdas e exageradas. O autor alegava compreender os pensamentos mais íntimos de um homem mediante a observação de uma expressão momentânea, um movimento dos músculos ou de um olhar. Engano, de acordo com ele, era uma impossibilidade para alguém treinado em observar e analisar. Suas conclusões eram tão infalíveis quanto às de Euclides. Seus resultados pareceriam tão surpreendentes aos leigos que, até que aprendessem os processos pelos quais ele havia passado, poderiam considerá-lo um necromante.

"De uma gota de água", dizia o autor, "uma pessoa lógica pode inferir a possibilidade de ser do Atlântico ou do Niágara sem ter visto ou ouvido a respeito de qualquer um deles. Então, toda a vida é uma grande corrente, cuja natureza é conhecida sempre que um único elo nos é mostrado. Como todas as artes, a Ciência da Dedução e Análise é uma que só pode ser adquirida após longo e paciente estudo, e a vida não é longa o suficiente para permitir que qualquer mortal obtenha o seu mais alto nível de perfeição. Antes de recorrer aos aspectos morais e mentais da matéria a qual apresentamos as maiores dificuldades, deixemos o indagador começar dominando os problemas mais elementares. Deixe-o, encontrando outro mortal, aprender rapidamente a distinguir a história do homem, o comércio e a profissão a qual pertence. Apesar de tal exercício parecer pueril, aguça as faculdades de observação e ensina para onde olhar e o que procurar. Pelas unhas de um homem, pela manga de seu casaco, pela bota, pelos joelhos das calças, pelas calosidades de seu dedo indicador e polegar, por sua expressão, pelos punhos da camisa – o chamado de um homem é claramente revelado por cada uma dessas coisas. Que todas essas coisas somadas não sirvam para esclarecer o investigador competente é, em qualquer caso, quase inconcebível."

— Que tolice inefável! — exclamei, batendo a revista na mesa. — Nunca li tamanha tolice em minha vida.

— O que é? — perguntou Sherlock Holmes.

— Ora, este artigo — respondi, apontando com a minha colher de ovos conforme me sentava para o desjejum. — Percebo que você já o tinha lido, já que o marcou. Não nego que é escrito de forma inteligente. Todavia, irritou-me. Evidentemente é a teoria de algum homem desocupado que desenvolveu todos esses pequenos paradoxos na reclusão de seu próprio escritório. Não é prático. Gostaria de vê-lo atulhado na terceira classe do metrô de Londres perguntando a profissão dos seus companheiros de viagem. Apostaria mil por um contra ele.

— Você perderia dinheiro — comentou Sherlock Holmes calmamente. — Já que fui eu quem escreveu o artigo.

— Você!

— Sim, tenho uma inclinação tanto para a observação quanto para a dedução. As teorias que apresentei aí, as quais lhe parecem ser tão utópicas, na verdade são extremamente práticas; tanto que dependo delas para o meu sustento.

— Como? — perguntei, involuntariamente.

— Bem, tenho um negócio próprio. Acredito que sou o único do mundo. Sou um detetive consultor, se consegue entender o que é isso. Aqui em Londres temos vários detetives do governo e aqueles que são particulares. Quando estes se deparam com alguma dificuldade, eles me procuram e eu os oriento, colocando-os na pista certa. Eles apresentam todas as evidências a mim e geralmente sou capaz de conduzi-los com a ajuda do meu conhecimento sobre a história do crime. Há uma semelhança familiar entre os crimes, e se você tem em mãos todos os mil detalhes, é estranho que não consiga desvendar os mil e um detalhes. Lestrade é um detetive muito conhecido. Ele se meteu em uma situação complicada de um caso de falsificação, e foi isso que o trouxe aqui.

— E as outras pessoas?

— A maioria é enviada por agências de investigação privadas. Há todo tipo de pessoa com algum tipo de problema que precisa de um esclarecimento. Eu escuto suas histórias, eles escutam meus comentários e então embolso minha taxa.

— Mas você quer dizer — contrapus — que, sem sair do lugar, pode desvendar algo que outro homem não consegue, apesar de ele ter visto todos os detalhes?

— Por aí. Tenho um certo tipo de intuição. De vez em quando aparece um caso que é um pouco mais complexo. Então, fico empolgado para ver tudo com meus próprios olhos. Entenda, sou detentor de uma vasta gama de conhecimentos especiais que aplico ao problema e que facilitam tudo maravilhosamente. Aquelas regras de dedução descritas no artigo que despertaram seu desprezo são inestimáveis para mim em meu trabalho prático. Para mim, observação é uma segunda natureza. Você pareceu surpreso quando lhe disse, em nosso primeiro encontro, que você viera do Afeganistão.

— Contaram-lhe, sem dúvidas.

— Nada do tipo. Eu *sabia* que tinha vindo do Afeganistão. Devido a um antigo hábito, o trem de pensamentos correu de forma tão rápida em minha mente que cheguei à conclusão sem estar consciente dos passos intermediários. Mas eles existiram. O trem de raciocínio seguiu assim: "Aqui está um cavalheiro do tipo médico, mas com ar de um militar. Claramente um médico do Exército. Acabou de chegar dos trópicos, pois o rosto está bronzeado, e essa não é a cor natural de sua pele, já que seus pulsos estão pálidos. Passou por dificuldades e doenças, como seu rosto abatido demonstra. Seu braço esquerdo foi ferido; ele o mantém de maneira rígida e anormal. Onde, nos trópicos, um doutor do Exército britânico poderia ter passado por tanto sofrimento e ter machucado o braço? Obviamente, no Afeganistão". Toda linha de pensamento não durou um segundo. Foi quando comentei que veio de lá e você foi surpreendido.

— É simples o suficiente quando você explica — disse eu, sorrindo.

— Você me lembra Dupin, de Edgar Allan Poe. Não tinha ideia de que indivíduos assim existiam fora das histórias.

Sherlock Holmes levantou-se e acendeu seu cachimbo.

— Não duvido que você pense que está me elogiando ao me comparar com Dupin — observou. — Agora, em minha opinião, Dupin foi um camarada bem inferior. Seu truque de adentrar o pensamento dos amigos com um propósito marcante após um quarto de hora de silêncio é realmente muito pomposo e superficial. Ele tinha um gênio analítico, sem dúvidas, mas não era de forma alguma tal fenômeno como Poe parecia imaginar.

— Você leu as obras de Gaboriau? — questionei. — Lecoq atinge seu ideal de detetive?

Sherlock Holmes fungou sarcasticamente.

— Lecoq era um miserável trapalhão — respondeu com raiva —, e tinha só uma coisa a seu favor, que era sua energia. Aquele livro me deixou totalmente desgostoso. A questão era como identificar um prisioneiro desconhecido. Eu poderia ter feito isso em vinte e quatro horas. Lecoq levou aproximadamente seis meses. Poderia ter sido um livro para ensinar o que os detetives não devem fazer.

Fiquei indignado por ver dois personagens que admirava sendo tratados sem cerimônia. Segui até a janela e observei a rua movimentada. "Esse camarada pode ser bastante inteligente, mas certamente é pretensioso", disse para mim mesmo.

— Não há crimes ou criminosos por esses dias — falou de forma rabugenta. — Qual é o sentido de termos cérebros em nossa profissão?

Sei bem que tenho capacidade de fazer com que meu nome fique conhecido. Nenhum homem que vive ou já viveu trouxe a mesma quantidade de estudos ou de talento natural na arte de deter crimes como eu tenho feito. E qual é o resultado? Não há crimes para deter ou, no máximo, algum vilão incompetente com um motivo tão transparente que até mesmo um oficial da Scotland Yard seria capaz de resolver. Eu ainda estava irritado com seu estilo arrogante de conversa. Achei melhor mudar de assunto.

— Eu me pergunto o que aquele sujeito estaria procurando? — questionei, apontando para um indivíduo robusto, trajando roupas simples, que caminhava devagar do outro lado da rua, olhando ansiosamente para os números.

— Você está se referindo ao sargento aposentado da Marinha — falou Sherlock Holmes.

"Quanta bravata!", pensei comigo mesmo. "Ele sabe que não posso comprovar seu palpite."

O pensamento mal passara pela minha mente quando o homem que observávamos distinguiu o número em nossa porta e atravessou a rua rapidamente. Ouvimos uma batida alta, uma voz profunda e passos pesados subindo a escada.

— Para o Sr. Sherlock Holmes — disse ele, entrando no cômodo e entregando a carta ao meu amigo.

Ali estava a oportunidade de tirar-lhe a presunção. Ele pouco pensou nisso quando deu aquele palpite aleatório.

— Posso perguntar-lhe, meu rapaz — comecei com voz branda —, qual é o seu ofício?

— Comissário, senhor — respondeu de forma ríspida. — O uniforme foi levado para reparos.

— E o que você era antes? — indaguei com um olhar um pouco malicioso em direção ao meu companheiro.

— Um sargento, senhor. Infantaria Ligeira da Marinha Real, senhor. Sem resposta? Certo, senhor.

Ele bateu continência, levantou a mão em saudação e foi embora.

CAPÍTULO III

O mistério de Lauriston Gardens

Confesso que fiquei consideravelmente assustado com a recente prova da natureza prática das teorias do meu companheiro. Meu respeito por seus poderes de análise aumentou tremendamente. Ainda existia certa suspeita espreitando em minha mente, no entanto, de que todo episódio foi pré-arranjado para me deslumbrar, embora com que objetivo ele teria para querer me enganar estava além da minha compreensão. Quando olhei, ele já havia terminado de ler a nota e seus olhos assumiram um olhar vago, uma expressão sem brilho que mostrava abstração mental.

— Como você conseguiu deduzir isso? — questionei.

— Deduzir o quê? — devolveu ele de forma petulante.

— Ora, que ele era um sargento reformado da Marinha.

— Não tenho tempo para insignificâncias — respondeu bruscamente, depois, acrescentou com um sorriso: — Perdoe minha grosseria. Você interrompeu minha linha de raciocínio, mas talvez não tenha problema. Então você realmente não foi capaz de ver que o homem era um sargento da Marinha?

— Não, de verdade.

— Foi mais fácil saber do que explicar como soube. Se lhe pedissem que provasse porque dois mais dois são quatro, você poderia encontrar alguma dificuldade, ainda que estivesse certo do fato. Mesmo do outro lado da rua, pude ver uma âncora tatuada no dorso da mão do camarada. Isso está relacionado ao mar. No entanto, ele tinha uma carruagem militar e costeletas características. Então, temos a Marinha. Era um homem com pompa e certo ar de comando. Você deve ter observado a maneira que erguia a cabeça e balançava a bengala. Era um respeitável e estável homem de meia-idade também, como parecia. Todos os fatos me levaram a acreditar que ele tinha sido um sargento.

— Incrível! — bradei.

— Banalidade — disse Holmes, apesar de que sua expressão parecia denotar prazer ao ver a minha evidente surpresa e admiração. — Disse agora há pouco que não havia criminosos. Parece que estou errado... olhe isto! — Entregou-me o papel que o comissário trouxera.

— Ora, isso é terrível! — exclamei enquanto passava meus olhos pelo bilhete.

— Realmente parece ser um pouco fora do comum — observou calmamente. — Importa-se de ler em voz alta para mim?

Esta é a carta que li para ele:

Caro Sr. Sherlock Holmes,

Ocorreu um grave incidente durante a noite em Lauriston Gardens, nº 3, próximo de Brixton Road. Nosso homem de ronda viu luz ali por volta das duas da manhã, e, como a casa estava vazia, desconfiou que houvesse algo errado. Encontrou a porta aberta e, na sala da frente, desmobiliada, avistou o corpo de um cavalheiro bem-vestido que tinha no bolso cartões com o nome de "Enoch J. Drebber, Cleveland, Ohio, EUA". Não houvera roubo e tampouco há sinais de como se deu a morte do homem. Há marcas de sangue na sala, mas nenhum ferimento no corpo. Não fazemos ideia de como ele entrou na casa vazia; de fato, o caso é um completo enigma. Se o senhor for até a casa a qualquer hora antes do meio-dia, vai me encontrar lá. Deixei tudo in statu quo[2] *até ter notícias suas. Se não puder vir, enviarei mais detalhes, e eu estimaria em demasia se pudesse fazer a bondade de amparar-me com sua opinião.*

Cordialmente,
Tobias Gregson

---

2. Expressão proveniente do latim cujo significado é "no estado atual".

— Gregson é o policial mais inteligente da Scotland Yard — comentou meu amigo. — Ele e Lestrade são os melhores de um grupo podre. Ambos são rápidos e enérgicos, mas convencionais de uma forma chocante. Têm uma animosidade mútua, e são invejosos como moçoilas. Haverá alguma diversão se ambos estiverem investigando esse caso.

Fiquei impressionado com a sua calma.

— Então não há tempo a perder! — exclamei. — Devo lhe chamar um carro?

— Não tenho certeza de que devo ir. Sou o preguiçoso mais incurável que já existiu, apesar de algumas vezes ser ágil o suficiente.

— Ora, essa era a chance que estava procurando.

— Meu caro companheiro, o que importa para mim? Suponha que eu desvende o mistério, pode ter certeza de que Gregson, Lestrade e companhia embolsarão todo o crédito. Isso é o que acontece quando não se é um personagem oficial.

— Mas ele implorou por sua ajuda.

— Sim. Ele sabe que sou superior e reconhece isso para mim, mas cortaria a língua antes de admitir isso para outra pessoa. Contudo, podemos ir e dar uma olhada. Vou trabalhar nisso nos meus termos. No mínimo, darei algumas risadas deles. Vamos!

Vestiu o casaco depressa e saiu a passos largos de uma forma que mostrou que seu caráter enérgico havia substituído o apático.

— Pegue seu chapéu — ordenou.

— Você deseja que eu vá junto?

— Desejo, se não tiver nada melhor para fazer.

Um minuto depois estávamos em um cabriolé alugado seguindo rapidamente para a Brixton Street.

Era uma manhã nublada, com uma cerração espalhando-se sobre os telhados e assemelhando-se ao reflexo das ruas lamacentas abaixo. Meu companheiro estava no melhor espírito e tagarelava sobre os violinos de Cremona e as diferenças entre os Stradivarius e os Amantis. Quanto a mim, fiquei em silêncio, porque o tempo nublado e a melancolia do problema de que iríamos tratar deixaram meu espírito deprimido.

— Você não parece pensar muito sobre o que vamos enfrentar — disse eu enfim, interrompendo a divagação musical de Holmes.

— Ainda não temos informações — respondeu. — É um grande erro tentar teorizar antes de ter todas as evidências. Atrapalha o julgamento.

— Logo você terá as informações — observei, apontando com o dedo. — Essa é a Brixton Street e aquela é a casa, se não estou enganado.

— É mesmo. Pare, condutor, pare! — Ainda estávamos a aproximadamente cem metros do destino, mas ele insistiu em nosso desembarque, então, terminamos a jornada a pé.

O número 3 de Lauriston Gardens parecia infeliz e ameaçador. Era uma das quatro casas que ficavam na parte de trás da rua; duas estavam ocupadas e duas não. As desocupadas tinham três fileiras de janelas vazias e sombrias, salvo uma ou outra com cataratas de cartazes de "Aluga-se" nas vidraças.

Um jardim cheio de plantas maltratadas e dispersas separava cada uma das casas da rua e era atravessado por um trilha estreita e amarelada, consistindo de uma mistura de argila e cascalho. O lugar todo parecia cheio de lama por conta da chuva que caíra a noite inteira. O jardim era delimitado por um muro de aproximadamente noventa centímetros de altura com uma grade de madeira no topo, e, recostado no muro, estava um policial robusto, cercado por um pequeno grupo de desocupados que esticavam o pescoço e estreitavam os olhos na esperança de pegar algum vislumbre dos procedimentos do lado de dentro.

Eu havia imaginado que Sherlock Holmes adentraria na casa de imediato e mergulharia na análise do mistério. Isso não parecia ser sua intenção. Com um ar de indiferença que, nessas circunstâncias, parecia-me no limite da simulação, percorreu a calçada de um lado ao outro e observou vagamente o chão, o céu, as casas opostas e a linha de trilhos. Tendo terminado seu escrutínio, prosseguiu lentamente pelo caminho, ou melhor, pela orla de grama que o flanqueava, mantendo os olhos fixos no chão. Parou duas vezes, e em uma delas o vi sorrir e soltar uma exclamação de satisfação.

Havia muitas pegadas no solo argiloso, mas como a polícia havia perambulado por ali, não compreendi como meu parceiro poderia intuir qualquer coisa com isso. Mesmo assim, eu já tivera tantas evidências extraordinárias de sua ágil faculdade perceptiva que não tive dúvidas de que ele podia ver muitas coisas que estavam escondidas de mim.

À porta da casa, fomos recebidos por um homem alto, branco e de cabelos louros, com um caderno em mãos, e que correu para apertar a mão do meu companheiro com entusiasmo.

— É realmente uma bondade sua ter vindo — disse ele. — Deixei tudo intocado.

— Exceto aquilo! — replicou meu amigo, apontando para a trilha. — Se uma manada de búfalos tivesse passado por ali não haveria tamanha bagunça. No entanto, sem dúvidas você tirou suas próprias conclusões, Gregson, antes de permitir isso.

— Tive tanta coisa para fazer dentro da casa — respondeu o detetive de forma evasiva. — Meu colega, Sr. Lestrade, está aqui. Confiei que ele iria vigiar isso.

Holmes me olhou de relance e levantou as sobrancelhas sarcasticamente.

— Com dois homens como você e o Lestrade na área, não haverá muita coisa para um terceiro descobrir — comentou ele.

Gregson esfregou a mão de um jeito vaidoso.

— Acredito que fizemos tudo que tínhamos que fazer. É um caso esquisito, no entanto, e sei que você tem um gosto para isso.

— Você não veio aqui em uma carruagem de aluguel? — perguntou Sherlock Holmes.

— Não, senhor.

— Nem Lestrade?

— Não, senhor.

— Então deixe-nos entrar e analisar o cômodo. — Com essa observação imponderada, ele adentrou a casa, seguido por Gregson, cuja feição mostrava seu espanto.

Uma pequena passagem com assoalho empoeirado e vazio levava à cozinha e aos aposentos de serviço. Duas portas se abriam à esquerda e à direita. Uma delas obviamente havia permanecido fechada por semanas. A outra pertencia à sala de jantar, o apartamento onde tal caso misterioso havia acontecido. Holmes entrou e eu o segui, com aquele sentimento subjugado que acomete o coração que a presença da morte suscita.

Era um grande cômodo quadrado, parecendo ainda maior com a ausência de móveis. Um deslumbrante papel comum adornava as paredes, mas estava manchado com mofo em alguns pontos, e aqui e ali grandes tiras haviam se descolado e expunham o gesso amarelo por baixo. Em frente à porta, havia uma lareira vistosa, emoldurada por uma imitação de mármore branco. Em um canto dela havia um toco de vela vermelha. A única janela estava tão suja que a luz era débil e obscura, dando uma coloração acinzentada a tudo, o que era intensificado pela grossa camada de poeira que revestia toda a sala.

Só observei todos esses detalhes mais tarde. No primeiro momento, minha atenção estava centrada em uma única figura imóvel estendida sobre as tábuas, com um olhar vago fixo no teto descolorido. Era um homem de 43 ou 44 anos, de porte mediano, com ombros largos, cabelos pretos encaracolados e uma barba curta e eriçada. Vestia um sobretudo de casimira de boa qualidade, um colete, calças de cor clara, golas e punhos imaculados. Uma cartola bem escovada e guarnecida estava no chão ao seu lado. Suas mãos estavam cerradas, os braços estendidos e as pernas entrelaçadas, como se sua morte tivesse sido dolorosa. Em seu rosto havia uma expressão rígida de horror e, como também me parecia, de ódio, de um jeito que nunca havia visto em uma feição humana antes. Essa contorção maligna e terrível combinada com a testa pequena, o nariz contorcido e a mandíbula proeminente conferiram ao morto uma aparência singularmente simiesca, o que foi aumentada por sua postura não natural.

Já vi a morte em muitas formas, mas nunca havia aparecido para mim em um aspecto tão temível quanto naquele cômodo escuro e sujo, que dava para uma das principais áreas do subúrbio de Londres.

Lestrade, esguio como um furão, estava parado perto da porta e nos cumprimentou.

— Esse caso vai causar um agito, senhor — mencionou. — É pior do que qualquer coisa que eu já tenha visto, e não sou nenhum frangote.

— Não há pistas? — indagou Gregson.

— Nenhuma — declarou Lestrade.

Sherlock Holmes se aproximou do corpo e, ajoelhando-se, examinou-o meticulosamente.

— Têm certeza de que não há feridas? — perguntou, apontando para diversas gotas e salpicos de sangue que estavam ao redor.

— Positivo! — exclamaram os dois detetives.

— Então, é claro, esse sangue pertence a um segundo indivíduo... Possivelmente o assassino, se um assassinato tiver sido cometido. Isso me lembra das circunstâncias da morte de Van Jansen, em Utrecht, no ano de 1834. Você se recorda do caso, Gregson?

— Não, senhor.

— Leia sobre isso... você realmente deveria fazê-lo. Não há nada novo sob o sol. Tudo já foi feito antes.

Conforme falava, seus dedos ágeis passavam aqui, ali, em toda parte, sentindo, pressionando, desabotoando, examinando, enquanto seus olhos exibiam a mesma expressão distante que eu já havia notado. O exame foi feito de forma tão rápida que dificilmente se teria notado a minúcia com qual foi conduzido. Por fim, ele cheirou os lábios do homem morto e, em seguida, olhou para as solas de suas botas de couro.

— Ele não foi movido de nenhuma forma? — perguntou.

— Nada além do que o necessário para os propósitos de nossa verificação.

— Vocês podem levá-lo para o necrotério agora — ordenou. — Não há nada mais a averiguar.

Gregson tinha uma maca e quatro homens à espera. A seu chamado, eles adentraram o cômodo, levantaram o estranho e o carregaram para fora. Quando o levantaram, um anel tilintou e rolou pelo chão. Lestrade o pegou e o analisou com olhos incrédulos.

— Uma mulher esteve aqui! — exclamou ele. — Esse é o anel de casamento de uma mulher.

Ele o segurou no alto e, conforme falava, colocou-o na palma da mão. Todos nos reunimos ao seu redor e o analisamos fixamente. Não poderia haver dúvidas de que o aro de ouro puro um dia havia adornado o dedo de uma noiva.

— Isso complica a questão — disse Gregson. — Deus sabe que já era bastante complicada antes.

— Tem certeza de que não a simplifica? — observou Holmes. — Não há nada a ser aprendido observando isso. O que você achou nos bolsos dele?

— Está tudo ali — respondeu Gregson e apontou para um sortimento de objetos em um dos degraus inferiores das escadas. — Um relógio de ouro, nº 97163, da Barraud, de Londres. Corrente de ouro Albert, muito pesada e sólida. Anel de ouro com signo maçônico. Alfinete de ouro, cabeça de buldogue e rubi como os olhos. Carteira para cartões de couro russo, com cartões de Enoch J. Drebber, de Cleveland, o que corresponde às iniciais E.J.D. da roupa. Sem carteira, mas dinheiro solto na quantia de sete libras e treze xelins. Uma edição de bolso do *Decameron* de Boccaccio, com o nome de Joseph Stangerson sobre a folha de rosto. Duas cartas: uma endereçada a E. J. Drebber e outra a Joseph Stangerson.

— Em qual endereço?

— No American Exchange, em Strand, a serem deixadas até que fossem solicitadas. Ambas são da Guion Steamship Company, e dizem respeito à partida dos seus navios vindos de Liverpool. Está claro que esse homem azarado estava prestes a retornar a Nova York.

— Você investigou esse tal de Stangerson?

— Fiz de imediato, senhor — respondeu Gregson. — Enviei anúncios para todos os jornais e um dos meus homens foi ao American Exchange, mas ainda não retornou.

— Você enviou algum para Cleveland?

— Telegrafamos esta manhã.

— Como você formulou suas perguntas?

— Simplesmente detalhamos as circunstâncias e dissemos que ficaríamos agradecidos com qualquer informação que pudesse nos ajudar.

— Não perguntou por particularidades ou algum ponto que lhe pareceu crucial?

— Indaguei sobre o Stangerson.

— Nada mais? Não há nenhuma circunstância de que todo esse caso pareça depender? Você não telegrafará novamente?

— Eu disse tudo que tinha para falar — respondeu Gregson com tom ofendido.

Sherlock Holmes riu para si mesmo e parecia estar pronto para replicar quando Lestrade, que estivera no cômodo da frente enquanto conversávamos no saguão, reapareceu na cena, esfregando as mãos de um jeito pomposo e vaidoso.

— Sr. Gregson — disse —, acabei de descobrir algo de maior importância, uma coisa que teria sido negligenciada se eu não tivesse feito um exame minucioso das paredes.

Os olhos do homenzinho brilhavam enquanto falava, e estava evidentemente em estado de exultação reprimida por ter marcado um ponto contra seu colega.

— Venham aqui — pediu ele, agitando-se de volta para o cômodo, cuja atmosfera parecia mais leve desde a remoção do habitante medonho. — Agora, fiquem de pé ali!

Acendeu um fósforo em sua bota e o segurou contra a parede.

— Olhem para isso! — exclamou de forma triunfante.

Eu observara que o papel havia descascado em algumas partes. Nesse canto em particular, uma grande parte havia sido exposta, deixando um quadrado de reboco de gesso amarelo à mostra. Dentro desse espaço, uma única palavra estava rabiscada em letras vermelho-sangue:

RACHE

— O que pensam disso? — bradou o detetive com ar de apresentador exibindo seu espetáculo. — Passou despercebido porque estava no canto mais escuro do cômodo e ninguém pensou em olhar ali. O assassino, ou assassina, deve ter escrito isso com o próprio sangue. Vejam essa mancha onde ele escorreu pela parede! De qualquer forma, isso elimina a ideia de suicídio. Por que esse canto foi escolhido para a escrita? Eu lhes digo. Vejam aquela vela na moldura. Estava acesa na hora e, assim, esse canto seria o mais iluminado da sala, não o mais escuro.

— E o que significa isso que *você* encontrou? — perguntou Gregson com desdém na voz.

— O significado? Ora, significa que a pessoa ia escrever o nome Rachel, mas foi perturbada antes que tivesse tempo de terminar. Marquem o que estou dizendo, quando esse caso for esclarecido, vocês descobrirão que uma mulher chamada Rachel tem algo a ver com isso. Pode rir quanto quiser, Sr. Sherlock Holmes. Você pode ser bastante esperto e inteligente, mas, no fim, o velho cão de caça é que se sai melhor.

— Realmente imploro por seu perdão! — bradou meu companheiro após explodir em risadas, o que irritou o homenzinho. — Você certamente merece o crédito por ser o primeiro de nós a descobrir isso, e, como diz, tem todos os indícios de ter sido escrito por outro participante do mistério da noite passada. Ainda não tive tempo de examinar este cômodo, mas, com sua permissão, irei fazê-lo agora.

Enquanto falava, tirou do bolso uma fita métrica e uma grande lupa redonda. Com isso, trotou silenciosamente pela sala, às vezes parando, de vez em quando se ajoelhando, e uma vez deitando-se de bruços. Ele estava tão absorto em sua ocupação que pareceu ter se esquecido de nossa presença, porque tagarelava baixinho consigo mesmo o tempo todo, em uma sequência de exclamações, gemidos, assobios e pequenos gritos sugestivos de esperança e encorajamento.

Conforme eu o observava, era inevitável não pensar em um cão de caça de sangue-puro bem treinado, que corre para frente e para trás do encoberto choramingando em sua ânsia de chegar ao rastro perdido. Por mais ou menos vinte minutos ele continuou procurando, medindo a distância entre as marcas com a maior exatidão, as quais eram invisíveis para mim e, ocasionalmente, aplicando sua fita métrica à parede em uma maneira igualmente incompreensível. Em um lugar, juntou de forma cuidadosa uma pequena pilha de poeira do chão e a guardou em um envelope. Finalmente, examinou com a lupa a palavra na parede, passando por cada letra com uma minúcia rigorosa. Feito isso, pareceu satisfeito, porque guardou os instrumentos no bolso.

— Dizem que um gênio tem uma capacidade infinita de gastar esforços — comentou com um sorriso. — É uma definição muito ruim, mas que se aplica ao trabalho de detetive.

Gregson e Lestrade tinham observado as manobras do companheiro amador com considerável curiosidade e certo desprezo. Eles com certeza falharam em compreender o fato, que eu tinha começado a perceber, de que as menores ações do Sherlock Holmes eram direcionadas para algum objetivo preciso e prático.

— O que você acha, senhor? — perguntaram ambos.

— Eu lhes roubaria o crédito se os ajudasse — pontuou meu companheiro. — Vocês estão indo tão bem agora que seria uma pena que qualquer um interviesse. — A voz estava carregada de sarcasmo. — Se me deixarem saber o rumo das investigações — prosseguiu —, ficarei feliz em fornecer qualquer ajuda que puder. Enquanto isso, gostaria de conversar com o policial que encontrou o corpo. Podem me passar o nome e o endereço?

Lestrade procurou em seu caderno.

— John Rance — disse. — Ele está de folga agora. Você o encontrará na Audley Court, n° 46, em Kennington Park Gate.

Holmes anotou o endereço.

— Venha comigo, Doutor — pediu —, vamos visitá-lo. Direi uma coisa que pode ajudá-los no caso — continuou, virando-se para os dois detetives. — Aconteceu um homicídio e o assassino foi um homem. Ele tinha mais que 1,80m, estava na flor da idade, tinha pés pequenos para sua altura, usava botas quadradas e grosseiras e fumava um charuto Trichinopoly. Ele veio aqui com a sua vítima em um fiacre de quatro rodas, que foi puxado por um cavalo com três ferraduras velhas e uma nova em sua pata dianteira. O assassino provavelmente tinha um rosto corado e as unhas da mão direita surpreendentemente longas. Essas são somente algumas indicações, mas podem ajudá-los.

Lestrade e Gregson olharam um para o outro com um sorriso de incredulidade.

— Se esse homem foi assassinado, como aconteceu? — questionou Lestrade.

— Veneno — respondeu Sherlock Holmes secamente enquanto saía. — Uma outra coisa, Lestrade — acrescentou, virando-se à porta. — "Rache" significa "vingança" em alemão, então não perca tempo procurando uma Senhorita Rachel.

Com essa batata quente em seus colos, ele foi embora, deixando os dois rivais boquiabertos para trás.

CAPÍTULO IV

O que John Rance tinha a dizer

Era uma da tarde quando deixamos a cena do crime em Lauriston Gardens. Sherlock Holmes me levou à agência escritório telegráfica mais próxima de onde despachou um longo telegrama. Então, chamou um cabriolé e ordenou ao motorista que nos levasse ao endereço fornecido por Lestrade.

— Não há nada como uma evidência em primeira mão — comentou. — Na verdade, minha opinião a respeito do caso já está formada, mas mesmo assim podemos aprender tudo que tiver para ser aprendido.

— Você me impressiona, Holmes — disse eu. — Certamente não tem tanta certeza quanto pretende passar com todas essas particularidades que forneceu.

— Não há margem para erros — respondeu. — A primeira coisa que observei ao chegar foi que um cabriolé deixara dois sulcos com as rodas perto do meio-fio. Agora, até ontem à noite, fazia uma semana que não chovia, então, para que essas rodas deixassem uma marca tão profunda, devem ter permanecido ali durante a noite. Havia marcas de cascos de cavalo, o contorno de um deles estava muito mais delimitado do que o dos outros três, mostrando que aquela era uma nova ferradura. Como o cabriolé esteve ali depois que a chuva começou, e não estava lá a qualquer hora desta manhã, e tenho a palavra de Gregson quanto a isso, concluímos que deve ter sido durante a noite. Portanto, foi o que levou aqueles dois indivíduos para a casa.

— Isso parece bem simples, mas e em relação à altura do outro homem?

— Ora, a altura do homem, de nove casos dentre dez, pode ser estipulada pelo comprimento das suas passadas. É um cálculo bastante simples, apesar de não haver necessidade de entediá-lo com os números. Tinha a passada do sujeito tanto na lama do lado de fora quanto na poeira do lado de dentro. Então, tive um jeito de checar meus cálculos. Quando um homem escreve na parede, seu instinto o leva a escrever no nível dos olhos. Aquela escrita estava a aproximadamente 1,80 m do chão. Foi uma brincadeira de criança.

— E a sua idade? — questionei.

— Bem, se um homem pode dar uma passada de quase um metro e meio sem o menor esforço, não pode ser um idoso. Essa era a largura de uma poça no jardim a qual ele evidentemente transpôs. As botas de couro envernizadas tinham dado a volta, e as de bico quadrado tinham saltado sobre a poça. Não há mistério algum nisso. Estou apenas aplicando à vida real alguns daqueles preceitos de observação e dedução aos quais advoguei naquele artigo. Há algo mais que o intriga?

— As unhas e o charuto? — sugeri.

— A escrita na parede foi feita com o dedo indicador do homem molhado em sangue. Minha lupa permitiu que eu observasse que o gesso foi levemente arranhado durante o processo, o que não teria acontecido se as unhas dele estivessem cortadas. Recolhi algumas cinzas do chão. Eram escuras e flocosas, como as cinzas feitas pelo Trichinopoly. Realizei alguns estudos especiais sobre cinzas de charuto... na verdade, escrevi uma monografia sobre o assunto. Sinto lisonja por ser capaz de distinguir com um relance a cinza de qualquer marca conhecida, tanto de charuto quanto de tabaco. É precisamente em tais detalhes que um detetive hábil difere-se do tipo de Gregson e de Lestrade.

— E o rosto corado?

— Ah, esse foi um palpite mais destemido, apesar de não ter dúvidas de que estava certo. Você não deve me perguntar isso nesta fase do caso.

Passei a mão sobre a testa.

— Minha mente está em um turbilhão; quanto mais se pensa sobre o assunto, mais misterioso fica. Como é que esses dois homens, se é que eram dois homens, entraram em uma casa vazia? O que aconteceu com o cocheiro que os levou até lá? Como um homem pôde obrigar outro a tomar veneno? De onde o sangue veio? Qual foi o objetivo do crime, já que não houve roubo? Como o anel da mulher foi parar ali? Acima de tudo, por que o segundo homem escreveria a palavra germânica "Rache" antes de fugir? Confesso que não consigo ver nenhum modo possível de conciliar todas essas coisas.

Meu companheiro sorriu, aprovando.

— Você resumiu as dificuldades da situação de uma forma boa e sucinta — disse ele. — Ainda há muito que está obscuro, apesar de eu já ter opinião formada acerca da maioria dos fatos. Quanto à descoberta do pobre Lestrade, era simplesmente uma emboscada com intuito de colocar a polícia no caminho errado, sugerindo o socialismo e sociedades secretas. Não foi feito por um alemão. A letra "A", se você notou, foi marcada ao estilo germânico. Ora, um alemão verdadeiro escreve em caracteres latinos, então podemos dizer com segurança que isso não foi escrito por um, mas por um imitador desajeitado que exagerou. Isso foi simplesmente um truque para desviar a investigação para um lado errado. Não contarei muito mais sobre o caso, Doutor. Você bem sabe que um mágico perde seus méritos ao explicar o seu truque, e se eu lhe mostrar o meu método de trabalho, você chegará à conclusão de que, no fim das contas, sou um indivíduo comum como qualquer outro.

— Nunca farei isso — respondi. — Você foi quem mais aproximou a dedução a uma ciência exata neste mundo.

Meu companheiro ruborizou com prazer diante das minhas palavras e da sinceridade com que as pronunciei. Eu já tinha observado que ele era tão sensível a elogios em relação à sua arte quanto uma moçoila poderia ser de sua beleza.

— Direi apenas mais uma coisa — disse ele. — Couro Envernizado e Botas Quadradas vieram no mesmo cabriolé e caminharam juntos da maneira mais amigável possível, provavelmente de braços dados. Quando entraram, andaram de um lado para o outro no cômodo, ou, na verdade, Couro Envernizado ficou parado enquanto Botas Quadradas andava. Pude perceber tudo isso na poeira. Também pude ver que ele se empolgava cada vez mais conforme caminhava. Isso é mostrado pelo aumento da largura das passadas. Ele falou durante todo o processo e, indubitavelmente, ficava mais furioso a cada instante. Então a tragédia aconteceu. Agora lhe disse tudo que sei; o resto é pura suposição e conjectura. No entanto, temos uma boa base para começar o trabalho. Devemos nos apressar, porque quero ir ao concerto de Hallé para ouvir Norman-Neruda esta tarde.

Essa conversa ocorreu enquanto nosso cabriolé abria caminho por uma longa sucessão de ruas sombrias e vias desertas. Subitamente, nosso cocheiro parou na mais suja e sombria delas.

— Ali é a rua Audley Court — disse ele, apontando para uma fenda estreita na linha de tijolos foscos. — Vocês me encontrarão aqui quando retornarem.

Audley Court não era uma localização atraente. A passagem estreita nos levou a um quadrilátero pavimentado e ladeado por moradias sórdidas. Cortamos caminho por grupos de crianças sujas e por varais com lençóis descoloridos até acharmos o número 46, cuja porta foi decorada com um pedaço de latão com o nome Rance esculpido. Quando indagamos, descobrimos que o policial estava na cama e fomos levados a uma saleta para esperar por sua chegada.

Ele finalmente apareceu, apresentando certa irritação por ter o sono perturbado.

— Eu fiz meu relatório na delegacia — disse ele.

Holmes pegou uma moeda de ouro do bolso e brincou com ela, pensativamente.

— Achamos que preferiríamos ouvir dos seus próprios lábios — retrucou.

— Ficarei muito feliz em lhe contar o que puder — respondeu o policial, os olhos fixos no pequeno disco dourado.

— Apenas nos conte, do seu jeito, tudo o que aconteceu.

Rance se sentou no sofá de crina de cavalo e franziu as sobrancelhas, como se estivesse determinado a não omitir nada da narrativa.

— Contarei desde o início — disse. — Meu turno começa às dez da noite e segue até as seis da manhã. Às onze houve uma briga no pub White Hart, mas, depois, tudo estava tranquilo. Começou a chover à uma da manhã e encontrei Harry Murcher, que policiava a área de Holland Grove, e ficamos juntos na esquina da Henrietta Street proseando. Pouco depois, talvez duas da madrugada ou pouco mais, pensei em dar uma olhada ao redor e ver se estava tudo bem na Brixton Street. Estava muito suja e deserta. Não deparei com vivalma em todo o caminho, embora um cabriolé ou outro tenham passado por mim. Estava andando, pensando em como seria bom ter uma dose de gin para me esquentar, quando subitamente captei o brilho de uma luz na janela daquela mesma casa. Ora, eu sabia que aquelas duas casas de Lauriston Gardens estavam vazias, porque o dono não queria contratar alguém para limpar os bueiros, mesmo que o último inquilino tenha morrido de febre tifoide. Então, fiquei desconfiado ao ver uma luz na janela e suspeitei de que havia algo errado. Quando cheguei à porta...

— Você parou e voltou em direção aos jardins — interrompeu meu companheiro. — Por que fez isso?

Rance sobressaltou-se e encarou Sherlock Holmes com uma expressão espantada.

— Ora, é verdade, senhor — disse ele —, apesar de que só Deus sabe como você descobriu isso. Você vê, estava tudo tão parado e solitário quando fui até a porta que pensei que não seria ruim se alguém fosse comigo. Não tenho medo de nada desse lado do túmulo, mas pensei que poderia ser o camarada que morreu de tifoide inspecionando os bueiros que o mataram. A ideia me encheu de pavor, então caminhei de volta ao portão para ver se conseguia achar a lanterna do Murcher, mas não havia sinal dele nem de mais ninguém.

— Não havia ninguém na rua?

— Nenhuma alma viva, senhor, nem mesmo um cachorro. Então, eu me recompus, voltei e abri a porta. Lá dentro tudo estava quieto, então fui até o cômodo onde a luz estava acesa. Havia uma vela tremulando na cornija da lareira, uma vela de cera vermelha, e com a luz eu vi...

— Sim, eu sei tudo que viu. Você caminhou pelo cômodo diversas vezes, ajoelhou-se ao lado do corpo, e depois saiu e tentou abrir a porta da cozinha, e então...

John Rance levantou-se de um salto com uma expressão aterrorizada e desconfiada em seus olhos.

— Onde você estava escondido para ter visto tudo isso? — exclamou. — Parece-me que sabe muito mais do que deveria.

Holmes riu e empurrou seu cartão pela mesa até o policial.

— Não me prenda pelo assassinato — respondeu ele. — Sou apenas um dos cães de caça, e não o lobo; Sr. Gregson e Sr. Lestrade podem atestar isso. Entretanto, continue. O que fez em seguida?

Rance voltou a sentar sem, no entanto, perder a expressão de espanto.

— Voltei para o portão e soei o meu apito. Isso trouxe o Murcher e outros dois ao local.

— A rua estava vazia nesse momento?

— Bem, estava, pelo menos vazia de qualquer pessoa direita.

— O que quer dizer?

A feição do policial ampliou-se com um sorriso.

— Já vi muitos bêbados — disse —, mas nunca alguém tão alcoolizado quanto aquele parceiro. Ele estava no portão quando saí, apoiando-se contra a grade e cantando a plenos pulmões sobre *Columbine's New-flanged Banner* ou algo do tipo. Ele não conseguia ficar de pé, muito menos ajudar.

— Que tipo de homem era ele? — questionou Sherlock Holmes.

John Rance pareceu um pouco irritado com a divagação.

— Ele era um beberrão — respondeu. — Teria acabado na delegacia se não estivéssemos tão ocupados.

— Seu rosto, suas roupas, você não reparou nisso? — interrompeu Holmes com impaciência.

— Devo dizer que sim, já que tive que, com auxílio de Murcher, colocá-lo de pé. Ele era um sujeito alto, com rosto rosado e o queixo coberto...

— Isso é o suficiente! — exclamou Holmes. — O que aconteceu com ele?

— Nós tínhamos muito a fazer além de cuidar dele — respondeu o policial com agressividade na voz. — Aposto que ele encontrou o caminho de volta para casa.

— Como ele estava vestido?

— Com um sobretudo marrom.

— Ele tinha um chicote em mãos?
— Um chicote... não.
— Ele deve ter deixado para trás — murmurou meu companheiro.
— Por um acaso você não viu ou ouviu um cabriolé depois disso?
— Não.
— Aqui está uma moeda de ouro — disse meu parceiro enquanto se levantava e pegava o chapéu. — Temo, Rance, que nunca chegará muito longe na polícia. Essa sua cabeça deveria ser usada para algo, e não só como enfeite. Você poderia ter ganhado suas divisas de sargento ontem à noite. O homem que você teve em suas mãos era quem tinha a chave para desvendar esse mistério, e é quem estamos procurando. Não há razão para discutir sobre isso agora; digo-lhe que é assim. Venha comigo, Doutor.

Saímos juntos para nosso cabriolé, deixando nosso informante incrédulo, mas bastante desconfortável.

— Que tolo desajeitado — disse Holmes amargamente enquanto dirigíamos de volta aos nossos alojamentos. — Só de pensar que ele teve tamanha sorte e não se aproveitou disso.

— Ainda não estou entendendo. É verdade que a descrição desse homem coincide com a sua ideia de um segundo indivíduo nesse mistério. Mas por que ele voltaria para a casa após deixá-la? Não é como criminosos costumam agir.

— O anel, homem, o anel: foi por isso que ele retornou. Se não tivermos outro jeito de pegá-lo, sempre podemos atraí-lo com o anel. Vou apanhá-lo, Doutor; aposto dois contra um como vou. Preciso lhe agradecer por tudo isso. Eu poderia não ter ido se não fosse por você, então teria perdido o melhor estudo que encontrei; um estudo em vermelho, hein? Por que não devemos usar um pouco de jargão da arte? Há a linha vermelha de assassinato correndo pela confusão incolor da vida, e nosso dever é desemaranhá-la, isolá-la e expor cada centímetro dela. E agora, vamos almoçar e depois para a Norman-Neruda. Sua abordagem e arquejo são esplêndidos. Como é aquela pequena peça de Chopin que ela toca tão magnificamente: Tra-la-la-lira-lira-lá.

Recostando-se no cabriolé, esse cão de caça amador cantarolou como uma cotovia enquanto eu meditava sobre as multifaces da mente humana.

CAPÍTULO V

Nosso anúncio traz um visitante

Os esforços de nossa manhã foram demais para a minha saúde frágil, e à tarde eu estava exausto. Depois que Holmes saiu para o concerto, deitei-me no sofá e tentei dormir por algumas horas. Foi inútil. Minha mente estava muito alerta por tudo que havia ocorrido e apinhada de estranhas conjecturas e fantasias. Toda vez que fechava os olhos, via diante de mim o semblante distorcido do homem assassinado, que se assemelhava ao de um babuíno. A impressão que aquela face tinha deixado em mim foi tão sinistra que achei difícil sentir algo além de gratidão por aquele que tinha removido seu dono desse mundo. Se alguma vez as características humanas anunciassem o tipo de vício mais maligno, eram certamente aquelas de Enoch J. Drebber, de Cleveland. Mesmo assim, eu reconhecia que a justiça devia ser feita, e que a depravação da vítima era de nenhuma anuência aos olhos da lei.

Quanto mais pensava sobre isso, mais extraordinária era a hipótese de meu companheiro de que homem tinha sido envenenado. Lembrei-me de como ele havia cheirado os lábios do morto e não tinha dúvidas de que havia detectado alguma coisa que deu origem à ideia. Então, novamente, se não foi veneno, o que causou a morte do homem, já que não havia feridas nem marcas de estrangulamento? Mas, por outro lado, de quem era o sangue tão denso no chão? Não havia sinais de luta, e nem havia na vítima alguma arma para que pudesse ter machucado seu antagonista.

Enquanto todas essas questões não fossem resolvidas, sentia que o sono não viria facilmente para mim ou para o Holmes. Seu jeito quieto e confiante convenceu-me de que ele já possuía alguma teoria formada que explicava todos os fatos, ainda que eu não fizesse ideia de qual seria.

Ele demorou para retornar... tanto que eu sabia que o concerto não o havia detido por todo aquele tempo. O jantar estava na mesa antes de ele aparecer.

— Foi magnífico — disse ele enquanto tomava seu lugar. — Você se lembra do que Darwin falou sobre música? Ele afirma que o poder de produção e apreciação existia na raça humana muito antes de que existisse a fala. Talvez esse seja o motivo por sermos sutilmente influenciados por isso. Há memórias vagas em nossa alma de todos aqueles séculos enevoados de quando o mundo estava em sua infância.

— Essa é uma ideia ampla — comentei.

— Nossas ideias devem ser tão ampla quanto a Natureza se têm a intenção de interpretá-la — respondeu ele. — Qual é o problema? Você não está bem. Esse caso da Brixton Road o incomodou.

— Para dizer a verdade, incomodou, sim. Eu devia estar mais endurecido pelas minhas experiências no Afeganistão. Não perdi a cabeça nem quando vi meus camaradas destroçados em Maiwand.

— Consigo entender. Há um mistério sobre isso que estimula a imaginação: onde não há imaginação, não há horror. Você viu o jornal da noite?

— Não.

— Ele dá uma boa explicação do caso. Não menciona o fato de que, quando o homem foi levantado, a aliança de uma mulher caiu no chão. Ainda bem.

— Por quê?

— Leia este anúncio — respondeu ele. — Eu enviei um para cada jornal esta manhã imediatamente após o caso.

Entregou-me o jornal e olhei o lugar indicado. Era o primeiro anúncio na coluna de "Achados". "Na Brixton Road, esta manhã, um anel de ouro simples foi encontrado no caminho entre o pub White Hart e Holland Grove. Procurar Dr. Watson, Baker Street, número 221B, entre oito e nove da noite."

— Perdoe-me por usar seu nome — disse ele. — Se usasse o meu, algum desses imbecis poderia reconhecê-lo e tentar se meter no caso.

— Não tem problema — respondi. — Mas supondo que alguém responda, eu não tenho nenhum anel.

— Ah, você tem sim — contrapôs ao me entregar um. — Esse servirá perfeitamente, é quase idêntico.

— E quem você espera que responda a esse anúncio?

— Ora, o homem com o sobretudo marrom, nosso amigo corado com as botas quadradas. Se ele não vier, mandará um cúmplice.

— Ele não achará que é perigoso?

— De forma alguma. Se minha visão do caso estiver correta, e tenho toda razão em pensar que está, esse homem preferiria arriscar tudo a perder o anel. De acordo com o que sei, ele derrubou o anel quando curvava-se sobre o corpo de Drebber e não percebeu na hora. Após sair da casa, deu falta e correu de volta, mas descobriu que o policial já estava em posse do anel, devido à sua própria insensatez em deixar a vela queimando. Teve que se fingir de bêbado para acalmar as suspeitas que poderiam surgir com seu aparecimento no portão. Agora, coloque-se no lugar daquele homem. Pensando na situação, deve ter lhe ocorrido que era possível ter perdido o anel depois de sair da casa. O que ele faria então? Procuraria ansiosamente nos jornais na esperança de vê-lo entre os pertences encontrados. Seu olhar, é claro, recairia sobre isso. Ele ficaria esfuziante. Por que sentiria medo de uma armadilha? Não haveria razão, em seu modo de ver, para que o achado do anel estivesse ligado ao crime. Ele viria. Ele virá. Nós o veremos dentro de uma hora.

— E então? — perguntei.

— Oh, você pode deixar que lido com ele. Tem alguma arma?

— Tenho meu antigo revólver e alguns cartuchos.

— É melhor que esteja limpo e carregado. O homem estará desesperado, e ainda que eu vá pegá-lo desprevenido, é melhor estar pronto para qualquer coisa.

Fui ao meu quarto e segui seu conselho. Quando retornei com a pistola, a mesa já havia sido tirada e Holmes se engajara em sua ocupação favorita de treinar em seu violino.

— A trama se complica — declarou ele quando entrei. — Acabei de receber uma resposta ao meu telegrama americano. Minha opinião acerca do caso é a correta.

— E qual é? — perguntei, ansiosamente.

— Meu violino ficaria melhor com cordas novas — comentou. — Ponha seu revólver no bolso. Quando o sujeito chegar, interaja com ele normalmente. Deixe o resto comigo. Não o assuste fitando-o em demasia.

— Agora são oito horas — anunciei, olhando meu relógio.

— Sim. Ele provavelmente estará aqui em poucos minutos. Abra só uma fresta da porta. Será o suficiente. Agora coloque a chave na parte de dentro. Obrigado! Este é um livro curioso e antigo que peguei em uma banca ontem, *De Jure inter Gentes*,[3] publicado em latim em Liège, em 1642, nos Países Baixos. A cabeça de Carlos I ainda estava firme em seu pescoço quando este volume de lombada marrom foi impresso.

— Quem foi o impressor?

— Philippe de Croy, quem quer que tenha sido. No frontispício, em tinta enfraquecida, está escrito *"Ex libris Guliolmi Whyte"*. Pergunto-me quem foi William Whyte. Suponho que algum advogado pragmático do século XVII. Sua escrita tem um quê de jurídico. Acho que ali vem o nosso homem.

Enquanto ele falava houve um toque estridente da campainha. Sherlock Holmes levantou-se suavemente e moveu sua cadeira na direção da porta. Ouvimos a empregada passar pelo corredor e o clique agudo do trinco ao ser aberto.

— O Dr. Watson reside aqui? — perguntou uma voz clara, mas um tanto áspera. Não conseguimos ouvir a resposta da empregada, mas a porta foi fechada e alguém começou a subir as escadas. O passo era incerto e arrastado. Um olhar de surpresa passou pelo rosto do meu companheiro conforme ele ouvia. Ele veio lentamente pelo corredor e então houve uma batida débil na porta.

— Pode entrar! — exclamei.

---

3. Expressão latina cujo significado é "lei entre as nações", ou Direito Internacional.

Ao meu chamado, em vez do homem violento que esperávamos, uma mulher muito velha e enrugada entrou mancando no apartamento. Pareceu ficar ofuscada pela súbita luminosidade e, depois de fazer uma reverência, ficou parada piscando com os olhos turvos e mexendo no bolso com dedos nervosos e trêmulos. Olhei para meu parceiro e seu rosto assumira uma expressão tão desconsolada que tive que me esforçar para manter meu semblante impassível. A velha pegou o jornal da noite e apontou para o nosso anúncio.

— Isso foi o que me trouxe, bons cavalheiros — disse ela, abaixando-se para outra reverência. — O anel de ouro da Brixton Road. Pertence à minha filha, Sally, que se casou um ano atrás; seu marido é camareiro a bordo de um navio da Union. Nem consigo imaginar o que ele diria se voltasse para casa e a encontrasse sem o anel, pois tem temperamento forte algumas vezes, principalmente quando bebe demais. Se os senhores querem saber, ela foi ao circo ontem à noite com...

— Este é o anel dela? — perguntei.

— Graças ao Senhor! — exclamou a velha. — Sally será uma mulher feliz esta noite. Esse é o anel.

— E qual é o seu endereço? — indaguei, pegando um lápis.

— Duncan Street, Houndsditch, número 13. Fica bem longe daqui.

— A Brixton Road não fica entre qualquer circo e Houndsditch — disse Sherlock Holmes bruscamente.

A velha senhora se virou e o fitou intensamente com seus olhos avermelhados.

— O cavalheiro pediu pelo *meu* endereço — disse. — Sally vive em uma pensão em Mayfield Place, número 3, em Peckham.

— E seu sobrenome é...?

— Meu sobrenome é Sawyer, e o dela é Dennis, já que ela se casou com Tom Dennis, um rapaz inteligente e honesto, desde que esteja no mar, e não há camareiro mais trabalhador que ele na companhia; mas quando está em terra, com mulheres e bebidas...

— Aqui está seu anel, Sra. Sawyer — interrompi, obedecendo ao sinal dado por meu companheiro. — Claramente pertence à sua filha e estou contente por ter sido capaz de devolvê-lo à sua legítima dona.

Com muitas declarações de gratidão e bênçãos murmuradas, a anciã guardou o anel no bolso e desceu as escadas. Sherlock Holmes levantou-se rapidamente no momento em que ela se foi e correu para seu quarto. Retornou alguns segundos depois com um sobretudo e um cachecol.

— Vou segui-la — disse apressadamente. — Ela deve ser a cúmplice e vai me levar até ele. Espere por mim acordado.

A porta do corredor mal batera atrás da nossa visitante quando Holmes se pôs escada abaixo. Olhando pela janela, pude observá-la andando debilmente do outro lado da rua enquanto seu obstinado perseguidor a seguia a uma pequena distância. "De qualquer maneira, ou toda essa teoria está incorreta, ou ele será levado agora para o centro desse mistério", pensei comigo mesmo. Não havia necessidade para me pedir que esperasse acordado, porque sentia que seria impossível dormir até que ouvisse os resultados de sua aventura.

Era perto das nove horas quando ele partiu. Eu não tinha ideia de quanto tempo demoraria, mas fiquei sentado, impacientemente fumando meu cachimbo e folheando *Vie de Bohème,* de Henri Murger. Passara das dez horas quando ouvi os passos da empregada seguindo em direção ao seu quarto. Às onze, os passos mais imponentes da governanta passaram por minha porta com o mesmo objetivo. Era quase meia-noite quando ouvi o som agudo da chave dele no trinco. No instante que entrou, vi em seu rosto que não tinha sido bem-sucedido. Divertimento e desgosto pareciam lutar para dominá-lo até que o primeiro venceu e ele explodiu em uma gargalhada calorosa.

— Eu não deixaria que os oficiais da Scotland Yard soubessem disso por nada no mundo! — exclamou ao se jogar na poltrona. — Já zombei tanto deles que nunca me deixariam em paz por conta disso. Eu posso me dar ao luxo de rir porque sei que darei o troco no final.

— O que aconteceu? — perguntei.

— Oh, não me importo em contar a história contra mim mesmo. Aquela criatura tinha andado um pouco quando começou a mancar e mostrar todos os sinais de estar com os pés doendo. Então, ela parou e chamou um cabriolé que estava passando. Consegui chegar perto para ouvir o endereço, mas não precisava ter ficado tão ansioso, porque ela gritou o mesmo endereço que nos deu alto o suficiente para que se ouvisse do outro lado da rua. "Leve-me até Duncan Street, número 13, Houndsditch", bradou ela. Pensei que isso começava a parecer genuíno, e tendo visto que ela estava segura do lado de dentro, empoleirei-me na parte de trás. Essa é uma arte em que todo detetive deveria se aperfeiçoar. Bem, prosseguimos aos sacolejos e não paramos até que estivéssemos na rua em questão. Pulei antes que chegássemos à porta e desci a rua de maneira fácil e tranquila. Vi quando o cabriolé estacionou. O cocheiro pulou e o assisti abrir a porta e aguardar com expectativa. Ninguém saiu, no entanto. Quando me aproximei, ele tateava a cabine freneticamente e dava vazão à melhor coleção de imprecações que já ouvi. Não havia nem sinal da passageira e temo que vá demorar algum tempo antes que ele consiga receber o que lhe é devido. Quando investigamos o número 13, descobrimos que a casa pertencia a um respeitável empapelador chamado Keswick, e que ninguém ouvira falar de ninguém com sobrenome Sawyer ou Dennis por ali.

— Você não está querendo dizer que aquela velha senhora cambaleante e frágil foi capaz de saltar da carruagem em movimento sem que você ou o cocheiro tivessem percebido! — exclamei com espanto.

— Que velha senhora que nada! — disse Sherlock Holmes bruscamente. — Nós é que fomos as velhotas por termos caído nessa. Deve ter sido um homem jovem e ativo, além de ser um ator incomparável. O disfarce foi inimitável. Ele percebeu que estava sendo seguido, sem dúvidas, e usou desse meio para me despistar. Isso mostra que o homem que procuramos não age sozinho, como eu imaginava, mas tem amigos que estão prontos a correr riscos por ele. Mas, Doutor, você parece exausto. Aceite meu conselho e vá descansar.

Como realmente sentia-me cansado, obedeci à sua prescrição. Deixei Holmes sentado em frente à lareira acesa, e, madrugada adentro, escutei o som baixo e melancólico de seu violino, então soube que ele ainda estava ponderando sobre o estranho problema que havia se colocado para desvendar.

CAPÍTULO VI

Tobias Gregson mostra o que pode fazer

Os jornais do dia seguinte estavam lotados de menções ao "Mistério de Brixton", como o definiram. Todos faziam uma longa descrição do caso e alguns tinham adicionado comentários. Havia algumas informações que eram novas para mim. Ainda mantenho em meu álbum numerosos recortes e fragmentos sobre o caso. Aqui estão alguns deles:

O *Daily Telegraph* observou que na história do crime raramente houve uma tragédia que apresentasse características tão estranhas. O nome alemão da vítima, a ausência de um motivo e a inscrição sinistra na parede apontavam para uma ação perpetrada por refugiados políticos e revolucionários. Os socialistas apresentavam muitas ramificações na América, e o falecido tinha, sem dúvida, infringido algum acordo tácito e fora rastreado por eles. Após aludir vagamente ao Vehmgericht, à aquatofana, aos carbonários, à marquesa de Brinvilliers, à teoria darwiniana, aos princípios de Malthus e aos assassinatos na Ratcliff Highway, o artigo concluía advertindo o governo e advogando por um olhar mais atento aos estrangeiros na Inglaterra.

O *Standard* comentou sobre o fato de que atrocidades sem lei como essas geralmente ocorrem sob a administração liberal. Surgiam da inquietação das massas e do consequente enfraquecimento de toda autoridade. O falecido era um cavalheiro americano que estava residindo na Metrópole havia algumas semanas. Ele tinha se hospedado na pensão de Madame Charpentier, na Torquay Terrace, Camberwell. Era acompanhado em suas viagens por um secretário particular, Sr. Joseph Stangerson. Os dois se despediram da proprietária na terça-feira, dia

4 do mês corrente, e partiram para a Euston Station com a intenção declarada de pegar o expresso de Liverpool. Depois disso, foram vistos juntos na plataforma. Não se soube mais nada até que o corpo do Sr. Drebber foi, como registrado, descoberto em uma casa vazia na Brixton Road, a muitos quilômetros de Euston. Como ele chegou lá ou como encontrou seu destino, são questões que ainda estão envoltas em mistério. O paradeiro do Sr. Stangerson não é conhecido. Estamos contentes em saber que o Sr. Lestrade e o Sr. Gregson, da Scotland Yard, estão engajados nesse caso, e nos permite acreditar que esses dois conhecidos policiais lançarão luz no assunto em pouco tempo.

O *Daily News* observou que não havia dúvida em relação à natureza política do crime. O despotismo e o ódio ao liberalismo que contagiavam os governos do Continente tinham tido o efeito de trazer à nossa costa muitos homens que poderiam ter sido excelentes cidadãos, se não fossem azedados pelas lembranças de tudo que haviam sofrido. Entre esses homens havia um rigoroso código de honra, e qualquer violação a ele era punida com morte. Todos esforços deveriam ser dedicados a encontrar o secretário, Stangerson, e para verificar os hábitos do falecido. Um grande passo fora dado com a descoberta do endereço da casa em que ele havia se hospedado, um resultado inteiramente devido à energia e ao raciocínio do Sr. Gregson da Scotland Yard.

Sherlock Holmes e eu lemos essas notícias juntos durante o desjejum, e elas pareciam lhe fornecer considerável divertimento.

— Eu não disse que, independentemente do que tenha acontecido, Lestrade e Gregson receberiam todos os créditos?

— Isso depende de como o caso vai acabar.

— Oh, abençoado seja, isso não importa nem um pouco. Se o homem for pego, será *por conta* de seus empenhos; se escapar, será *apesar* dos seus empenhos. É um jogo de cara ou coroa. O que quer que façam, terão admiradores. *Un sot trouve toujours un plus sot qui l'admire.*[4]

---

4. Refere-se ao verso final do Canto I de *L'Art poétique* de Nicolas Boileau-Despréaux (1636-1711). Em tradução livre, "Um tolo sempre encontra outro ainda mais tolo que o admira".

— Que raios é isso? — exclamei, porque naquele instante ouvimos o tamborilar de muitos passos no corredor e nas escadas, acompanhados por expressões audíveis de repugnância por parte de nossa governanta.

— É a divisão de detetives da força policial da Baker Street — respondeu meu companheiro solenemente; e, enquanto falava, entraram apressados no cômodo meia dúzia dos moleques de rua mais sujos e esfarrapados que já vi.

— Sentido! — bradou Holmes em uma voz firme e os seis miseráveis perfilaram-se como estatuetas desonrosas. — No futuro, vocês deverão enviar o Wiggins para reportar sozinho e o resto deverá esperar na rua. Você encontrou, Wiggins?

— Não, senhor, não achamos — disse um dos moleques.

— Dificilmente esperaria que tivessem conseguido. Vocês devem continuar até conseguir. Aqui estão seus pagamentos. — Entregou um xelim para cada. — Agora, vão embora e da próxima vez voltem com um relatório melhor.

Ele acenou com a mão e eles fugiram para o andar de baixo como ratos e, no momento seguinte, ouvimos suas vozes estridentes na rua.

— É possível obter mais resultado de uns desses pobres coitados do que de uma dúzia de policiais — comentou Holmes. — A mera visão de uma pessoa com aparência oficial sela os lábios dos homens. Esses jovens, no entanto, vão a qualquer lugar e escutam de tudo. Também têm a mente afiada como uma agulha, só deixam a desejar no quesito organização.

— Você está os empregando no caso Brixton? — perguntei.

— Sim, há um ponto que desejo averiguar. É apenas uma questão de tempo. Pronto! Vamos ouvir algumas notícias mais cedo do que o esperado. Ali vem Gregson caminhando pela rua com satisfação estampada no rosto. Está vindo para cá, eu sei. Isso mesmo, está parando. Ali está ele!

Houve um violento puxão da campainha e, em poucos segundos, o detetive de cabelos louros subia as escadas, de três em três degraus, e irrompia em nossa sala.

— Meu caro amigo! — exclamou, apertando a mão estática de Holmes. — Felicite-me! Fiz com que tudo se tornasse claro como o dia.

Pareceu-me que uma onda de ansiedade atravessou o rosto expressivo do meu companheiro.

— Você quer dizer que está na pista certa? — perguntou.

— A pista certa! Ora, senhor, nós temos o homem preso.

— E o nome dele é?

— Arthur Charpentier, o subtenente da Marinha de Sua Majestade — declarou Gregson de forma pomposa, esfregando as mãos gordas e inflando o peito.

Sherlock Holmes suspirou com alívio e relaxou com um sorriso.

— Sente-se e experimente um desses charutos — disse ele. — Estamos ansiosos para saber como conseguiu isso. Quer um pouco de uísque com água?

— Aceito, sim — respondeu o detetive. — Os tremendos esforços que tenho feito nos últimos dois dias me desgastaram. Entenda, não foi tanto o cansaço do corpo, e, sim, da mente. Você compreenderá, Sr. Sherlock Holmes, porque ambos trabalhamos com a mente.

— Você me faz grande honra — disse Holmes gravemente. — Vamos ouvir como chegou a esse resultado tão gratificante.

O detetive sentou-se na poltrona e deu uma baforada complacente em seu charuto. Então, de súbito, deu um tapa em sua coxa em um paroxismo de diversão.

— O mais divertido disso tudo — começou — é que aquele tolo do Lestrade, que se julga tão inteligente, guiou-se por uma pista totalmente equivocada. Ele está atrás do secretário Stangerson, que tinha tanta ligação com o crime quanto um bebê que ainda não nasceu. Não tenho dúvidas de que ele o tenha capturado a essa hora.

A ideia divertia tanto o Gregson que ele riu até engasgar.

— E como você conseguiu sua pista?

— Ah, contarei tudo sobre isso. É claro, Dr. Watson, que isso fica estritamente entre nós. A primeira dificuldade que tivemos que enfrentar foi encontrar os antecedentes desse americano. Algumas pessoas teriam esperado até que seus anúncios fossem respondidos, ou até que as partes se apresentassem e oferecessem informações. Mas não é desse jeito que Tobias Gregson faz seu trabalho. Lembra-se da cartola ao lado do homem morto?

— Lembro-me — respondeu Holmes. — Fabricada por John Underwood & Sons, Camberwell Road, número 129.

Gregson pareceu um pouco desanimado.

— Não tinha ideia de que tinha notado isso. Você já foi lá?

— Não.

— Rá! — exclamou Gregson com alívio na voz. — Você não deve negligenciar uma oportunidade, mesmo que seja pequena.

— Para uma grande mente, nada é pequeno — observou Holmes sentenciosamente.

— Bem, eu fui ao Underwood e perguntei se tinha vendido uma cartola com aquela descrição e tamanho. Ele procurou em seus livros e a identificou de imediato. Enviara a cartola para o Sr. Drebber, residindo na Pensão Charpentier, em Torquay Terrace. Foi dessa forma que consegui seu endereço.

— Esperto... muito esperto! — murmurou Sherlock Holmes.

— Depois visitei Madame Charpentier — prosseguiu o detetive. — Encontrei-a muito pálida e angustiada. Sua filha também estava no cômodo, aliás, uma garota extremamente bela, mas os olhos pareciam avermelhados e seus lábios tremiam quando lhe dirigi a palavra. Isso não me escapou. Senti que havia algo ali. Você conhece o sentimento, Sr. Sherlock Holmes, quando chegamos ao rastro certo... um tipo de estremecimento nos nervos. Perguntei se elas haviam escutado sobre a misteriosa morte do último pensionista, Sr. Enoch J. Drebber, de Cleveland. A mãe assentiu. Parecia incapaz de dizer uma palavra sequer. A filha caiu no choro. Senti mais do que nunca que aquelas pessoas sabiam mais sobre o assunto.

"A que horas o Sr. Drebber deixou a casa para pegar o trem?", perguntei.

"Às oito horas", respondeu ela, engolindo em seco para controlar sua agitação. "O secretário dele, o Sr. Stangerson, falou que havia dois trens; um às nove e quinze e outro às onze. Ele ia pegar o primeiro."

"E essa foi a última vez que o viu?"

— Uma terrível mudança marcou o rosto da mulher quando fiz esse questionamento. Suas feições se tornaram totalmente lívidas. Passaram-se alguns segundos antes que ela conseguisse falar uma única palavra, "Sim", e quando saiu, foi em um tom anormal e rouco. Houve silêncio por um momento e então a filha falou em uma voz calma e clara: "Nenhum bem pode sair de uma mentira, mãe. Vamos ser francas com esse cavalheiro. Nós realmente vimos o Sr. Drebber novamente".

— "Que Deus te perdoe!" — exclamou Madame Charpentier, jogando os braços para o alto e caindo na poltrona. — "Você matou seu próprio irmão".

— "O Arthur preferiria que falássemos a verdade," — replicou a garota firmemente.

— "É melhor que me contem tudo sobre isso agora" — declarei.

— "As meias confissões são piores do que nenhuma. Além disso, a senhora não sabe o quanto sabemos sobre o assunto".

— "Isso é culpa sua, Alice!" — gritou a mãe e, então, virando-se para mim: — "contarei tudo, senhor. Não imagine que minha agitação em nome do meu filho surge de qualquer medo de que ele tenha tido qualquer participação nesse caso terrível. Ele é totalmente inocente. Contudo, meu temor é que, aos seus olhos e aos dos demais ele pareça comprometido. Isso certamente é impossível. Seu excelente caráter, sua profissão e seus antecedentes não permitiram que o fizesse".

— "O melhor a fazer é esclarecer os fatos" — afirmei. — "Dependendo disso, se seu filho for inocente, não passará por coisa pior".

— "Talvez, Alice, é melhor nos deixar sozinhos" — disse ela, e sua filha se retirou. — "Agora, senhor, não tinha intenção de dizer-lhe tudo isso, mas já que minha pobre filha deu com a língua nos dentes, não tenho alternativa. Tendo decidido falar, contarei tudo sem omitir qualquer detalhe".

— "É a conduta mais sábia."

— "Sr. Drebber ficou conosco por aproximadamente três semanas. Ele e seu secretário, Sr. Stangerson, tinham viajado pelo Continente. Notei uma etiqueta de Copenhague em ambas as malas, mostrando que essa tinha sido a última parada deles. Stangerson era um homem quieto e reservado, mas seu empregador, lamento dizer, era o oposto. Tinha hábitos grosseiros e maneiras brutais. Na mesma noite de sua chegada, ficou em um estado lastimável por conta da bebida e, na verdade, depois do meio-dia, dificilmente se poderia dizer que alguma vez ficara sóbrio. Seus modos para com os criados eram livremente repugnantes e familiares. Pior de tudo, ele rapidamente assumiu a mesma atitude para com a minha filha, Alice, e lhe falou dessa maneira mais de uma vez, mas, felizmente, ela é muito inocente para entender. Em uma ocasião, ele chegou a agarrá-la e abraçá-la... um ultraje que levou o seu próprio secretário a aproximar-se e censurá-lo por sua conduta indigna".

— "Mas por que a senhora suportou tudo isso? Suponho que pode se livrar dos hóspedes quando desejar".

— A Sra. Charpentier ruborizou diante da minha questão pertinente. — "Bem que eu queria tê-lo mandado embora no mesmo dia que ele chegou. Mas a tentação era grande. Eles estavam pagando uma libra por dia cada um, catorze libras por semana, e essa é uma temporada lenta. Sou uma viúva e meu filho na Marinha tem me dado muitos custos. Não queria perder o dinheiro. Agi pelo bem maior. Contudo, esse último episódio foi demais e eu pedi a ele que saísse. Essa foi a razão de ele ter ido embora".

— "E então?"

— "Meu coração ficou mais leve quando o vi partindo. Meu filho está de licença agora, mas ainda não lhe disse nada sobre tudo isso, porque seu temperamento é violento e ele tem grande afeição pela irmã. Quando fechei a porta após a saída deles, pareceu que um peso fora retirado da minha mente. Mas, ah! Em menos de uma hora houve um toque da campainha e descobri que o Sr. Drebber tinha retornado. Estava muito empolgado e tinha bebido muito. Ele forçou sua entrada na sala, onde eu e minha filha estávamos sentadas, e fez alguma observação incoerente sobre ter perdido o trem. Então, virou-se para Alice e, na minha frente, propôs-lhe que fugisse com ele. 'Você tem idade', disse ele, 'e não há lei que possa impedi-la. Tenho bastante dinheiro. Não se importe com a velhota e vamos logo embora comigo. Você viverá como princesa'. Pobre Alice estava tão assustada que se encolheu para longe, mas ele a agarrou pelo pulso e esforçou-se para arrastá-la até a porta. Gritei e, naquele momento, meu filho Arthur entrou na sala. Não sei o que aconteceu depois disso. Ouvi xingamentos e barulhos provenientes de briga. Eu estava aterrorizada demais para levantar a cabeça. Quando finalmente olhei para cima, vi Arthur em pé ao lado da porta, rindo, com um porrete na mão. 'Não acho que aquele bom sujeito nos incomodará de novo', disse. 'Vou atrás dele apenas para ver o que vai fazer'. Com essas palavras, ele pegou o chapéu e começou a descer a rua. Na manhã seguinte, ouvimos falar da misteriosa morte do Sr. Drebber."

— Essa declaração veio dos lábios da Sra. Charpentier com muitas pausas e suspiros. Houve momentos em que falou tão baixo que mal conseguia ouvir as palavras. Todavia, fiz anotações de forma abreviada de tudo que ela disse para que não houvesse a possibilidade de erro.

— É bastante empolgante — disse Sherlock Holmes com um bocejo. — O que aconteceu depois?

— Quando a Sra. Charpentier terminou — prosseguiu o detetive —, vi que o caso inteiro se apoiava em um ponto. Fitando-a de uma maneira que acredito surtir efeito nas mulheres, perguntei a que horas o filho havia retornado.

— "Eu não sei," — respondeu ela.

— "Não sabe?"

— "Não, ele tem a chave da porta e entrou sozinho".

— "Depois que a senhora foi dormir?"

— "Sim".

— "A que horas foi se deitar?"

— "Por volta das onze."

— "Então seu filho ficou pelo menos duas horas fora de casa?"

— "Ficou."

— "Possivelmente quatro ou cinco horas?"

— "Sim."

— "O que ele estava fazendo durante esse tempo?"

— "Eu não sei", respondeu ela e seus lábios ficaram brancos.

— Claro que depois disso não havia nada mais a ser feito. Descobri onde o tenente Charpentier estava, levei dois policiais comigo e o prendi. Quando bati em seu ombro e o alertei para que viesse calmamente conosco, ele respondeu de forma insolente: "Suponho que está me prendendo por conta da morte daquele canalha do Drebber". Não tínhamos dito nada a ele sobre isso, de modo que sua alusão tinha um aspecto muito suspeito.

— Muito — concordou Holmes.

— Ele ainda carregava o porrete descrito pela mãe de quando seguiu Drebber. Era de carvalho e bem sólido.

— Qual é a sua teoria, então?

— Bem, minha teoria é que ele seguiu Drebber até a Brixton Road. Chegando lá, aconteceu uma nova briga, durante a qual Drebber recebeu um golpe do porrete, talvez na boca do estômago, que o matou sem deixar qualquer marca. A noite estava tão chuvosa que não havia ninguém nas redondezas, então Charpentier carregou o corpo da vítima para dentro da casa vazia. Quanto à vela, o sangue, a palavra na parede e o anel, podem ter sido apenas truques para despistar a polícia.

— Muito bem! — disse Holmes com um tom encorajador. — Realmente, Gregson, você está se dando bem. Ainda faremos algo de você!

— Eu me vanglorio de ter me portado de forma bastante organizada — respondeu o detetive com orgulho. — O jovem voluntariou-se para prestar um depoimento no qual afirma que, depois de seguir Drebber por algum tempo, foi avistado por ele e pegou um cabriolé para se afastar. No trajeto para sua casa, encontrou um antigo companheiro de bordo e fizeram uma grande caminhada. Ao ser questionado sobre onde esse amigo mora, ele não conseguiu dar uma resposta satisfatória. Acredito que o caso todo se encaixa de forma excepcional. O que me diverte é pensar no Lestrade, que seguiu por uma pista errada. Temo que ele não conseguirá muito disso... Ora, por Deus, aqui está o homem!

Era mesmo Lestrade, que havia subido as escadas enquanto conversávamos e agora entrava na sala. No entanto, a confiança e galhardia que costumavam marcar seu porte e vestimenta estavam em falta. O rosto estava perturbado e incomodado, e as roupas estavam sujas e desalinhadas. Ele evidentemente viera com a intenção de se consultar com Sherlock Holmes, mas, ao perceber seu colega, pareceu ficar envergonhado e aborrecido. Parou no centro da sala, mexendo o chapéu nervosamente e sem saber o que fazer.

— Esse é um caso muito extraordinário — disse por fim. — Um caso muito incompreensível.

— Ah, você acha mesmo, Sr. Lestrade! — exclamou Gregson triunfalmente. — Achei que chegaria a essa conclusão. Conseguiu encontrar o secretário, o Sr. Joseph Stangerson?

— O secretário, o Sr. Joseph Stangerson — falou Lestrade gravemente — foi assassinado às seis da manhã no Halliday's Private Hotel.

CAPÍTULO VII
Luz na escuridão

O conhecimento com o qual Lestrade nos brindou foi tão importante e inesperado que ficamos todos bastante estupefatos. Gregson saltou da cadeira e derramou o restante do uísque com água. Observei Sherlock Holmes em silêncio, e vi que seus lábios estavam comprimidos e as sobrancelhas, franzidas.

— Stangerson também! — murmurou ele. — A trama se complica.

— Já era bastante complicada antes — resmungou Lestrade, puxando uma cadeira. — Parece que adentrei em um conselho de guerra.

— Você tem... tem certeza dessa pequena informação? — gaguejou Gregson.

— Acabei de vir do seu quarto — respondeu Lestrade. — Fui o primeiro a descobrir o que ocorreu.

— Estávamos escutando a opinião de Gregson sobre o assunto — observou Holmes. — Importa-se de nos informar o que tem feito e visto?

— Não tenho objeção — respondeu Lestrade, sentando-se. — Eu livremente confesso que tinha a opinião de que Stangerson tinha culpa na morte de Drebber. Essa nova revelação me mostrou que eu estava completamente enganado. Com a mente fixa nessa única ideia, coloquei-me a descobrir o que tinha acontecido com o secretário. Eles tinham sido visto juntos na Euston Station cerca de oito e meia da noite. Às duas da manhã, Drebber foi achado na Brixton Road. A questão que me confrontou foi o que Stangerson fez entre esses horários e o que aconteceu com ele depois. Enviei um telegrama para Liverpool dando a descrição do homem e os alertando a vigiar os navios americanos. Depois fui trabalhar, buscando todos os hotéis e pensões na vizinhança de Euston. Veja, eu intuí que se Drebber e seu companheiro tinham se separado, então o último procuraria se hospedar na vizinhança pela noite, e depois ficaria à espera na estação de novo pela manhã.

— Eles provavelmente combinaram um lugar de encontro antes — observou Holmes.

— Isso foi provado. Gastei toda a noite de ontem fazendo questionamentos sem resultado. Esta manhã comecei bem cedo, e às oito horas cheguei ao Halliday's Private Hotel na Little George Street. Ao questionar se o Sr. Stangerson estava hospedado ali, todos responderam afirmativamente de imediato.

— "Sem dúvidas o senhor é o cavalheiro que ele estava esperando," — disseram-me. — "Ele tem esperando pelo cavalheiro há dois dias".

— "Onde ele está agora?" — perguntei.

— "Está lá em cima na cama. Desejava ser chamado às nove".

— "Subirei de uma vez para vê-lo" — declarei.

— Tive a impressão de que minha aparição súbita poderia abalar seus nervos e o levar a dizer algo sem pensar. O criado voluntariou-se para me mostrar o quarto; ficava no segundo andar e era acessado por um pequeno corredor. O criado me apontou a porta e estava quase descendo de novo quando vi algo que me deixou enjoado, apesar dos meus vinte anos de experiência. Pela fresta inferior da porta, rolava um filete de sangue, que escoara pelo corredor e formara uma pequena poça ao longo do rodapé do outro lado. Gritei, o que trouxe o criado de volta. Ele quase desmaiou quando viu aquilo. A porta estava trancada pelo lado de dentro, mas a empurramos com os ombros e a arrombamos. A janela do quarto estava aberta e, ao lado, jazia o corpo de um homem trajando roupas de dormir. Estava realmente morto, e já por algum tempo, porque seus membros estavam frios e rígidos. Quando o viramos de frente, o criado imediatamente o reconheceu como sendo o mesmo cavalheiro que ocupara o quarto sob o nome de Joseph Stangerson. A causa da morte foi uma punhalada profunda no lado esquerdo, que provavelmente acertou o coração. E agora vem a parte mais estranha do caso: o que vocês supõem que estava em cima do homem assassinado?

Senti um arrepio no corpo e um pressentimento de horror antes mesmo que o Sherlock Holmes respondesse.

— A palavra RACHE, escrita com sangue — respondeu ele.

— Exatamente — disse Lestrade com uma voz espantada, e todos ficamos em silêncio por um tempo.

Havia algo tão metódico e incompreensível sobre esses atos do assassino desconhecido que conferia um ar ainda mais sinistro aos seus crimes. Meus nervos, que eram firmes o suficiente para o campo de batalha, estremeceram diante do pensamento.

— O homem foi visto — prosseguiu Lestrade. — Aconteceu que um leiteiro, seguindo rumo à leiteria, passou pela pista que levava aos estábulos do hotel. Ele notou que uma escada, que geralmente ficava jogada ali, fora erguida contra a janela do segundo andar, que estava escancarada. Ao continuar a caminhada, olhou para trás e viu um homem descendo a escada. Ele o fez tão silenciosamente que o menino pensou ser algum carpinteiro ou marceneiro que trabalhava no hotel. O menino não notou nada em particular nele, com exceção de pensar que era cedo para que o homem estivesse trabalhando. Teve a impressão de que o sujeito era alto, tinha um rosto corado e estava vestido com um longo sobretudo marrom. Deve ter permanecido no quarto por um tempo depois do assassinato, porque encontramos manchas de sangue na bacia de água onde ele lavou as mãos e marcas nos lençóis onde ele limpou a faca deliberadamente.

Olhei de relance para Holmes ao ouvir a descrição do assassino, que se encaixava exatamente com a sua própria explanação. No entanto, não havia traços de exultação ou satisfação em seu rosto.

— Você não achou nada na sala que pudesse fornecer uma pista para o assassino? — perguntou.

— Nada. Stangerson tinha a carteira do Drebber em seu bolso, mas isso parecia comum, já que ele fazia todos os pagamentos. Havia nela oitenta libras, mas nada foi roubado. Quaisquer que sejam os motivos para esses crimes, assalto certamente não é um deles. Não havia documentos ou memorandos no bolso do homem morto, exceto um único telegrama, datado de Cleveland cerca de um mês atrás, contendo as palavras: "J.H. está na Europa." Não havia um nome junto à mensagem.

— E não havia nada mais? — indagou Holmes.

— Nada de importante. O livro do homem, o qual tinha lido antes de dormir, estava sobre a cama, e o seu cachimbo estava em uma cadeira ao seu lado. Havia um copo d'água em cima da mesa e, no parapeito da janela, uma pequena caixa com unguento e algumas pílulas.

Sherlock Homes pulou da cadeira com uma exclamação de alegria.

— O último elo — bradou exultante. — Meu caso está completo.

Os dois detetives o encararam com espanto.

— Agora tenho em minhas mãos — disse meu companheiro com confiança na voz — todos os fios que formaram tamanho novelo. Existem, é claro, detalhes que devem ser preenchidos, mas estou certo sobre todos os detalhes principais, desde quando Drebber se separou de Stangerson na estação até a descoberta do corpo deste último, como se tivesse visto com meus próprios olhos. Darei prova do meu conhecimento. Você conseguiu pegar aquelas pílulas?

— Eu as tenho — afirmou Lestrade, puxando uma caixinha branca. — Eu as trouxe junto com a carteira e o telegrama com a intenção de guardá-los a salvo na Delegacia de Polícia. Foi obra do acaso eu ter apanhado essas pílulas, pois devo dizer que não dou qualquer importância a elas.

— Dê-me aqui — pediu Holmes e virou-se para mim. — Agora, Doutor, estas são pílulas comuns?

Certamente não eram. Eram de um cinza perolado, pequenas, redondas e quase transparentes contra a luz.

— Por sua leveza e transparência, imaginaria que são solúveis em água — observei.

— Precisamente — concordou Holmes. — Agora, você se importaria de ir lá embaixo buscar aquele pobre terrier que tem sofrido por tanto tempo e que a governanta queria que você sacrificasse ontem?

Desci e carreguei o cachorro em meus braços para o andar de cima. Sua respiração ofegante e o olhar vidrado mostraram que ele não estava longe do fim. De fato, seu focinho branco como a neve proclamava que já havia excedido o tempo usual da existência canina. Coloquei-o sobre uma almofada no tapete.

— Agora cortarei esta pílula ao meio — disse Holmes, e puxando o canivete, adequou as ações à palavra. — Uma metade devolveremos à caixa para propósitos futuros. A outra metade colocarei nessa taça de vinho na qual há uma colher de chá de água. Vocês percebem que nosso amigo, o Doutor, está certo, e ela se dissolve quase instantaneamente.

— Isso pode ser bem interessante — falou Lestrade em um tom ofendido de alguém que suspeita que está sendo alvo de zombaria. — Não vejo, todavia, o que isso tem a ver com a morte do Sr. Joseph Stangerson.

— Paciência, meu amigo, paciência! Em tempo você descobrirá que tudo está interligado. Agora adicionarei um pouco de leite para deixar a mistura mais agradável e, ao presenteá-la ao cachorro, descobriremos que a lambe com bastante rapidez.

Enquanto falava, virou todo o conteúdo da taça em um pires e o colocou à frente do terrier, que o lambeu de imediato. O comportamento sério de Sherlock Holmes até então nos convencera tanto que ficamos sentados em silêncio, observando o animal atentamente e esperando algum efeito surpreendente. O cachorro continuou deitado na almofada, respirando com dificuldade, não aparentando estar melhor ou pior para o projeto.

Holmes pegara seu relógio e quando os minutos passaram sem resultado, apareceu em seu rosto uma expressão de pesar e desapontamento. Ele mordeu os lábios, tamborilou os dedos sobre a mesa e mostrou outros sintomas de sua impaciência aguda. Sua emoção era tão grande que senti uma pena sincera dele, enquanto os dois detetives sorriam com desprezo, de modo algum descontentes com esse revés com que ele tinha se deparado.

— Não pode ser uma coincidência — gritou ele, finalmente pulando de sua poltrona e andando descontroladamente pela sala. — É impossível que tudo seja mera coincidência. As mesmas pílulas de que suspeitei no caso do Drebber são encontradas mais tarde após a morte do Stangerson. E ainda assim não têm eficácia. O que isso quer dizer? Certamente que toda minha linha de raciocínio não pode ser falsa. É impossível! E mesmo assim esse cachorro miserável não piorou nem um pouco. Ah, já sei! Já sei!

Com um grito de puro prazer, ele correu até a caixa, cortou a outra pílula pela metade, dissolveu-a, acrescentou leite e entregou ao cachorro. A língua da infeliz criatura mal tocara o líquido antes que um tremor convulsivo se espalhasse por todos seus membros e o cão se deitou tão rígido e sem vida como se tivesse sido atingido por um raio.

Sherlock deu um grande suspiro e enxugou o suor da testa.

— Eu deveria ter mais fé — disse. — A essa altura, já deveria saber que quando um fato parece se opor a uma longa série de deduções, ele invariavelmente revela ser passível de outra interpretação. Das duas pílulas da caixa, uma era mortalmente venenosa e a outra era inteiramente inofensiva. Eu devia saber disso antes mesmo de ter visto a caixa.

Essa última afirmação pareceu-me tão surpreendente que mal pude acreditar que ele estava sóbrio. No entanto, havia um cachorro morto para provar que suas conjecturas estavam corretas. Pareceu-me que as névoas em minha própria mente foram clareando gradativamente, e comecei a ter uma vaga percepção da verdade.

— Tudo isso parece estranho a vocês — continuou Holmes —, porque falharam em compreender, no início da investigação, a importância real de uma única pista que lhes mostrei. Eu tive a sorte de aproveitá-la e tudo o que tem ocorrido desde então serviu para confirmar minha suposição original e, de fato, era a melhor sequência lógica. Por isso, as coisas que os deixaram perplexos e tornaram o caso mais obscuro serviram para me esclarecer e fortalecer minhas conclusões. É um erro confundir estranhamento com mistério. O crime mais comum é frequentemente o mais misterioso porque não apresenta características novas ou especiais a partir das quais possam ser feitas deduções. Esse assassinato teria sido infinitamente mais difícil de desvendar se o corpo da vítima houvesse sido encontrado deitado na estrada sem qualquer uma das circunstâncias exageradas e sensacionais que o tornaram notável. Esses detalhes estranhos, longe de tornar o caso mais difícil, na verdade tiveram o efeito contrário.

Sr. Gregson, que tinha escutado essas palavras com considerável impaciência, não conseguiu mais se conter:

— Olhe aqui, Sr. Sherlock Holmes, estamos todos prontos para reconhecer que é um homem inteligente e que tem seus próprios métodos de trabalho. Só que agora queremos algo mais do que mera teoria e pregação. Trata-se de pegar o homem. Já apresentei minha opinião sobre o caso, e parece que eu estava errado. O jovem Sr. Charpentier não poderia estar envolvido no segundo crime. Lestrade foi atrás desse homem, Stangerson, e parece que também estava errado. Você plantou dicas aqui e ali, e parece saber mais do que nós, mas chegou o momento em que julgamos ter o direito de pedir-lhe para que seja direto sobre o quanto sabe a respeito do caso. Pode nomear o homem que fez isso?

— Não posso deixar de sentir que Gregson está correto, senhor — concordou Lestrade. — Nós dois tentamos e ambos falhamos. Você observou mais de uma vez, desde que cheguei, que tinha toda a evidência de que necessitava. Com certeza não as reterá mais.

— Qualquer atraso em prender o assassino — observei — pode lhe dar a oportunidade de perpetuar alguma nova atrocidade.

Apesar de pressionado por todos nós, Holmes mostrou sinais de irresolução. Continuou a andar ao redor do cômodo com a cabeça afundada no peito e as sobrancelhas abaixadas, como costumava fazer quando estava absorto em pensamentos.

— Não haverá mais assassinatos — disse ele por fim, parando abruptamente e nos encarando. — Vocês podem desconsiderar essa hipótese. Tinham me perguntado se sei o nome do assassino. Sei, sim. Todavia, o mero conhecimento do seu nome é uma coisa pequena se comparado ao poder de colocar as mãos sobre ele. Isso eu espero fazer em breve. Tenho esperanças de conseguir isso através dos meus próprios arranjos; mas é uma coisa que precisa ser tratada com delicadeza, pois temos que lidar com um homem astuto e desesperado, que tem apoio, como tive a oportunidade de provar, de outro tão inteligente quanto ele. Enquanto esse homem não suspeitar de que alguém pode ter uma pista — prosseguiu —, há alguma chance de prendê-lo; mas se tiver a menor suspeita, ele mudaria de nome e desaparecia em um instante entre os quatro milhões de habitantes desta grande cidade. Sem querer ferir o sentimento de qualquer um dos dois, devo dizer que considero que esses homens são mais do que a força policial pode aguentar, e é por isso que não pedi sua ajuda. Se eu falhar, devo, é claro, incorrer toda a culpa devida a essa omissão, mas estou preparado. No momento, estou pronto para prometer que no instante em que puder me comunicar com vocês sem pôr em risco minhas próprias combinações, farei isso.

Gregson e Lestrade pareceram pouco satisfeitos por essa garantia ou pela depreciação da força policial. O primeiro tinha corado até as raízes de seu cabelo louro, enquanto os olhos redondos do outro brilhavam com curiosidade e ressentimento. No entanto, nenhum deles teve tempo de falar antes que houvesse uma batida na porta e o porta-voz dos moleques de rua, o jovem Wiggins, introduzisse sua figura insignificante e desagradável.

— Por favor, senhor — disse ele, em posição —, eu tenho o cabriolé lá embaixo.

— Bom rapaz — falou Holmes de forma afável. — Por que vocês não introduzem esse padrão na Scotland Yard? — continuou, pegando um par de algemas na gaveta. — Vejam como a mola funciona lindamente. Elas prendem em um instante.

— O modelo antigo é bom o suficiente — comentou Lestrade — desde que sejamos capazes de encontrar o homem em quem usá-lo.

— Muito bem, muito bem — disse Holmes com um sorriso. — O cocheiro pode muito bem ajudar com as minhas caixas. Apenas peça para que suba, Wiggins.

Fiquei surpreso ao ver meu companheiro falando como se fosse sair em uma grande jornada, já que não havia comentado nada comigo. Havia uma pequena maleta na sala e ele a puxou e começou a amarrar com correias. Estava ocupado com isso quando o cocheiro entrou no cômodo.

— Ajude-me com esta fivela, cocheiro — pediu, ajoelhando-se ao lado da mala e sem virar a cabeça em momento algum.

O camarada avançou com um ar um pouco soturno e desafiador e estendeu as mãos para ajudar.

Nesse instante, houve um clique agudo, o som estridente de metal, e Sherlock Holmes ficou de pé novamente.

— Cavalheiros — bradou com olhos brilhando. — Deixe-me lhes apresentar o Sr. Jefferson Hope, o assassino de Enoch Drebber e de Joseph Stangerson.

A coisa toda ocorreu em um momento – tão rápido que não tive tempo de perceber. Tenho uma lembrança vívida do instante, da expressão triunfante do Holmes e o badalar de sua voz, do rosto selvagem e aturdido do cocheiro conforme encarava as algemas brilhantes que pareciam ter surgido em seus pulsos por mágica. Por um segundo ou dois, poderíamos ser confundidos com um grupo de estátuas. Então, com um rugido de fúria inarticulado, o prisioneiro libertou-se do aperto do Holmes e atirou-se pela janela. Madeira e vidro caíram diante dele, mas antes que conseguisse desaparecer, Gregson, Lestrade e Holmes saltaram sobre ele como cães de caça.

Ele foi arrastado de volta para a sala, e então começou um conflito terrível. Ele era tão poderoso e feroz que nós quatro éramos jogados longe. Parecia ter a força de um homem em uma crise de epilepsia. O rosto e as mãos estavam terrivelmente mutilados por sua passagem através do vidro, mas a perda do sangue não teve efeito em diminuir sua resistência. Foi só quando Lestrade conseguiu dar uma gravata em seu pescoço para estrangulá-lo que o fizemos entender que sua luta seria em vão; e, mesmo assim, não nos sentimos em segurança até prender suas mãos e seus pés. Isso feito, levantamo-nos sem fôlego e ofegantes.

— Temos seu cabriolé — comentou Sherlock Holmes —, que servirá para levá-lo até a Scotland Yard. E agora, cavalheiros — continuou com um sorriso de satisfação —, chegamos ao fim do nosso pequeno mistério. Fiquem à vontade para me perguntarem qualquer questão que tiverem, e não há perigo de que eu me recuse a responder todas elas.

PARTE II

A terra dos Santos.

CAPÍTULO I
Na grande planície alcalina

Na porção central do grande continente da América do Norte, há um grande deserto árido e inóspito, que por muitos anos serviu como barreira contra o avanço da civilização. Desde Sierra Nevada ao Nebraska, e do rio Yellowstone, no norte, até o Colorado, no sul, espraia-se uma região de desolação e silêncio. Nem a natureza está sempre com o mesmo humor em todo esse território sombrio que compreende altas montanhas cobertas de neves e vales escuros e tristes. Há rios de correntezas rápidas que atravessam cânions irregulares e há enormes planícies que no inverno ficam brancas como a neve, e no verão ficam cinzentas com a poeira salina de álcali. Todavia, tudo preservava uma característica comum de esterilidade, inospitalidade e miséria.

Não há habitantes nessas terras de desespero. Um grupo de *pawnees* ou de *blackfeets* pode atravessá-lo ocasionalmente para chegar a outras regiões de caça, mas o mais corajoso dos homens fica feliz em perder essas planícies impressionantes de vista, e encontrar-se mais uma vez em suas pradarias. O coiote se esconde entre o matagal, o abutre plana pesadamente pelo ar e o urso pardo atravessa as encostas para pegar seu sustento entre as rochas. Esses são os únicos moradores do deserto.

Em todo mundo não pode haver uma paisagem mais triste do que a vista a partir da encosta norte de Sierra Blanco. Até onde a vista alcança, estende-se uma grande planície, toda coberta de manchas de álcali e cortada por arbustos anões de chaparral. Na borda extrema do horizonte, há uma longa cadeia de montanhas com seus cumes irregulares salpicados de neve. Nesse grande trecho, não há sinal de vida nem de qualquer coisa relacionada a ela. Não há nenhum pássaro no céu azul-acinzentado, nenhum movimento sobre a terra opaca e, acima de tudo, há um silêncio absoluto. Não há sombra de um som em todo aquele deserto poderoso; nada além de silêncio – silêncio completo e subjugador de corações.

Tem sido dito que não há nada semelhante à vida na ampla planície. Isso dificilmente é verdade. Olhando-se de Sierra Blanco, é possível ver um caminho traçado pelo deserto, que se meandra para longe e se perde na distância extrema. É esburacado pelas rodas e pisoteado por muitos aventureiros. Aqui e ali há objetos brancos espalhados que brilham ao sol e destacam-se contra o depósito de álcali. Aproxime-se e examine-os! São ossos: alguns largos e ásperos, outros pequenos e mais delicados. Os primeiros pertenceram a bois, os últimos a um homem. Por dois mil e quatrocentos quilômetros, pode-se traçar a rota medonha de caravanas mediante esses restos dispersos daqueles que tombaram pelo caminho.

Olhando para essa mesma cena, no dia 4 de maio de 1847, estava um viajante solitário. Sua aparência era tal que poderia ter sido o próprio gênio ou o demônio da região. Um observador teria achado difícil dizer se ele estava próximo dos quarenta ou dos sessenta anos. Seu rosto era magro e abatido, e a pele, que parecia um pergaminho marrom, estava bem esticada sobre os ossos salientes; seus longos cabelos castanhos e barba estavam salpicados e pontilhados de branco; os olhos estavam fundos nas órbitas e ardiam com um brilho não natural; enquanto a mão que segurava seu rifle era dificilmente mais carnuda do que a de um esqueleto.

Parado ali, usou a arma como apoio para se manter de pé, mas sua figura alta e a estrutura maciça de seus ossos sugeria que possuía uma constituição forte e vigorosa. Todavia, a face magra e as roupas, que pendiam sobre os membros enrugados, proclamavam o que lhe dava aquela aparência senil e decrépita. O homem estava morrendo de sede e de fome.

Havia descido a encosta a duras penas na vã esperança de ver algum sinal de água pela elevação. Agora a grande planície de sal se estendia diante de seus olhos, e o cinturão distante de montanhas selvagens não exibia nenhum sinal de plantas ou árvores, o que indicaria a presença de umidade. Em toda aquela paisagem ampla não havia uma centelha de esperança. Olhou para o norte, para o leste e oeste com olhos selvagens e questionadores, e então entendeu que suas andanças tinham chegado ao fim, e que bem ali, naquele rochedo estéril, estava prestes a morrer. "Por que não aqui, tão bem quanto em um colchão de penas daqui a vinte anos?" murmurou, sentando-se no abrigo de um penedo.

Antes de se sentar, havia colocado no chão o rifle inútil e também um grande pacote amarrado em um xale cinza, que vinha carregando pendurado no ombro direito. Parecia ser um pouco pesado demais para ele, pois o desceu com um pouco de violência. Instantaneamente, um pequeno gemido saiu do pacote, e dali se projetou um rosto pequeno e assustado, com olhos castanhos muito brilhantes e dois pequenos punhos manchados.

— Você me machucou! — disse uma voz de criança em tom acusador.

— Desculpe, não tive a intenção — respondeu o homem penitentemente. Enquanto falava, desembrulhou o xale cinza e libertou uma menina bonita de cerca de cinco anos de idade, cujos sapatos delicados e o belo vestido cor-de-rosa com seu aventalzinho de linho transpareciam todos os cuidados de uma mãe. A criança estava pálida e abatida, mas seus braços e pernas saudáveis mostravam que tinha sofrido menos que seu companheiro.

— Está melhor agora? — perguntou ele ansiosamente, porque a menina ainda esfregava os cachos dourados que cobriam a parte de trás da cabeça.

— Dê um beijo para sarar — disse ela com voz muito séria, mostrando a parte machucada para ele. — Isso é o que mamãe costumava fazer. Onde ela está?

— Sua mãe se foi. Acho que você logo a verá.

— Foi, é? — falou a garotinha. — Engraçado que ela não disse adeus. Ela sempre dizia, mesmo quando só estava indo para casa da titia para tomar chá, e agora já faz três dias que ela se foi. Olha, está bastante seco, não é? Não tem nada para comer, nenhuma água?

— Não, não há nada, querida. Você terá que ser paciente por um tempinho, e então ficará bem. Apoie sua cabeça em mim, e então se sentirá mais valente. Não é fácil falar quando seus lábios parecem couro, mas acho que é melhor você saber tudo. O que tem aí?

— Coisas lindas! E graciosas! — exclamou a garotinha com entusiasmo, segurando dois fragmentados brilhantes de mica. — Quando voltarmos para casa as darei para o meu irmão Bob.

— Você logo verá coisas mais bonitas que isso — disse o homem com convicção. — Espere só um pouquinho. Mas eu estava para lhe contar: você se lembra de quando deixamos o rio?

— Ah, lembro, sim.

— Bem, pensamos que chegaríamos a outro rio logo, sabe. Mas algo deu errado, com a bússola ou o mapa, não sei, e não o encontramos. A água acabou. Só restaram algumas gotas para você, e... e...

— E você não conseguiu se lavar! — interrompeu a menina, encarando sua cara suja.

— Não, nem beber. O Sr. Bender foi o primeiro a partir, depois o índio Pete, e então a Sra. McGregor seguida por Johnny Jones e depois, querida, sua mãe.

— Então a mamãe está morta — choramingou a menina, esfregando o rosto em seu avental e soluçando amargamente.

— Sim, todos estão mortos, exceto você e eu. Então achei que havia alguma chance de ter água nessa direção, coloquei você em meu ombro e caminhamos juntos. Mas não parece que melhoramos as coisas. Agora há uma minúscula chance para nós!

— Você quer dizer que também vamos morrer? — perguntou a criança, controlando seus soluços e levantando o rosto molhado de lágrimas.

— Acho que isso é certo.

— Por que não disse nada antes? — questionou ela, rindo com alegria. — Você me deu um baita susto! É claro, agora que vamos morrer, eu posso ficar com a mamãe de novo.

— Sim, você ficará, minha querida.

— E você também. Direi a ela como você tem sido incrivelmente bom comigo. Aposto que ela vai nos encontrar na porta do Céu com um jarro de água e um bolo quente, tostados dos dois lados, como eu e o Bob gostamos. Quanto tempo vai demorar?

— Eu não sei, não muito. — Os olhos do homem estavam fixos no horizonte norte. Na abóbada do céu azul haviam aparecido três pequenas manchas que aumentavam a cada momento, aproximando-se rapidamente. Logo se mostraram como grandes pássaros marrons que circulavam sobre as cabeças dos dois caminhantes, e então pousaram em algumas rochas para observar. Eram aves grandes, os abutres do Oeste, e sua vinda era precursora da morte.

— Galos e galinhas! — gritou a menininha com alegria, apontando para as formas agourentas e batendo as mãos para fazê-los voar. — Diga, Deus fez este lugar?

— Claro que fez — respondeu seu companheiro, surpreendido por essa questão inesperada.

— Ele fez a terra de Illinois, e também o Missouri — continuou a garota. — Mas acho que foi outra pessoa quem fez estas terras. Não está tão bem-feito. Eles esqueceram a água e as árvores.

— O que você acha de fazer uma oração? — perguntou o homem timidamente.

— Não é noite ainda — respondeu ela.

— Não tem problema. Não é comum, mas Ele não se importará, pode acreditar. Faça aquelas orações que costumava fazer toda noite quando estávamos nos vagões pelas planícies.

— Por que você não reza também? — quis saber a criança com olhos questionadores.

— Não me lembro como se reza — respondeu. — Não faço isso desde que eu tinha metade da altura dessa arma. Mas acho que nunca é tarde demais. Você reza e eu a acompanho nos coros.

— Então você precisa se ajoelhar, e eu também — disse ela, estendendo o xale para esse propósito. — Você tem que colocar as mãos para cima assim. Faz a gente se sentir bem.

Se houvesse alguém além dos abutres para observá-los seria uma visão estranha. Os dois caminhantes se ajoelharam lado a lado sobre o xale estreito; a pequena criança tagarela e o endurecido aventureiro imprudente. O rosto rechonchudo dela e o semblante anguloso dele estavam voltados para o céu sem nuvens em súplica sincera àquele temível Ser com quem estavam cara a cara, enquanto as duas vozes – uma fina e clara, a outra profunda e áspera – se uniam no pedido de misericórdia e perdão. A oração terminou e eles retomaram os assentos à sombra do penedo até que a criança adormeceu aninhada no peito largo do seu protetor. Ele vigiou seu sono por algum tempo, mas a natureza provou ser muito forte para ele. Por três dias e três noites ele não havia se permitido descansar nem repousar. Lentamente, suas pálpebras se fecharam sobre os olhos cansados, e a cabeça se afundou no peito, até que a barba grisalha do homem se misturou ao cabelo dourado da sua companheira, e os dois dormiram o mesmo sono profundo e sem sonhos.

Se o caminhante tivesse permanecido acordado por mais meia hora, seus olhos teriam encontrado uma visão estranha. Bem longe, na extrema beirada da planície alcalina, levantou-se um pouco de poeira, muito leve de início, dificilmente distinguida das névoas distantes, mas que foi crescendo gradativamente até formar uma neve sólida e bem definida. Essa nuvem continuou a aumentar de tamanho até se tornar evidente que só poderia ser levantada por uma grande multidão em movimento. Em pontos mais férteis, o observador chegaria à conclusão de que era um daqueles grandes rebanhos de bisão que pastavam nas pradarias que se aproximavam deles. Isso obviamente era impossível naquelas regiões selvagens e áridas.

Quando o redemoinho de poeira se aproximou do penhasco solitário onde os dois párias descansavam, os dosséis cobertos de lona dos vagões e as figuras dos cavaleiros armados começaram a se mostrar através da névoa, e a aparição revelou-se como sendo uma grande caravana em sua jornada para o Oeste. Mas que caravana! Quando a frente dela alcançou a base das montanhas, a retaguarda ainda não estava visível no horizonte. Do outro lado da enorme planície, estendia-se o cortejo disperso de vagões e carroças, homens a cavalo e a pé. Inúmeras mulheres cambaleavam sob fardos e crianças andavam ao lado dos vagões ou espreitavam debaixo das lonas brancas. Isso evidentemente não era um grupo comum de imigrantes, mas, sim, alguns nômades que tinham sido forçados a procurar uma nova terra. Ali, através do ar puro, levantou-se uma algazarra estrondosa proveniente dessa grande massa humana, junto ao rangido das rodas e o relinchar dos cavalos. Mas, alto como estava, não foi o suficiente para despertar os dois viajantes cansados.

Na base do grupo vinham dezenas de homens com semblantes duros, vestidos com roupas simples pretas e armados com rifles. Ao alcançar a base do penhasco, pararam e fizeram uma breve reunião entre eles.

— Os poços estão à direita, meus irmãos — disse um homem de lábios rijos, barba feita e cabelo grisalho.

— À direita de Sierra Blanco... então chegaremos ao Rio Grande — falou outro.

— Não se preocupe com água! — exclamou um terceiro. — Aquele que pode fazer água brotar das rochas não abandonará o Seu povo escolhido.

— Amém! Amém! — concordou todo o grupo.

Eles estavam prestes a retomar sua jornada quando um dos mais jovens e de olhar mais atento proferiu uma exclamação e apontou para o penhasco acidentado acima deles. Ao alto, um tufo cor-de-rosa esvoaçava ao vento, destacando-se contra o cinzento das pedras. À vista disso, houve um movimento geral para montar os cavalos e desembainhar as armas, enquanto os cavaleiros recém-chegados galopavam para reforçar a vanguarda. A palavra "peles-vermelhas" estava em todos os lábios.

— Não pode haver grande número de índios por aqui — disse o homem idoso que parecia estar no comando. — Nós passamos pelos *pawnees*, e não existe nenhuma tribo até cruzarmos as grandes montanhas.

— Devo verificar, irmão Stangerson? — perguntou outro do bando. Algumas outras vozes também se prontificaram.

— Deixem seus cavalos e esperaremos aqui — respondeu o idoso. Em um momento, os jovens apearam, amarraram os cavalos e subiram a encosta íngreme que levava ao objeto que despertou tamanha curiosidade. Avançaram de forma rápida e silenciosa, com a confiança e a destreza de batedores experientes. Aqueles que observavam da planície abaixo podiam vê-los passando rapidamente de pedra em pedra até suas figuras se destacarem contra o horizonte. O jovem que tinha dado o alarme estava guiando. De repente, seus seguidores o viram jogar as mãos para o alto, como em perplexidade, e, ao se juntarem a ele, tiveram a mesma ação ao perceber o que ele via.

No pequeno planalto que coroava a colina estéril, havia um único penedo gigantesco, e contra ele havia um homem alto, de barba longa e traços endurecidos, mas de magreza excessiva. Seu rosto plácido e a respiração regular mostravam que estava dormindo. Ao lado dele havia uma criancinha, com seus braços brancos e redondos envolvendo-lhe o pescoço queimado e forte, a cabeça de cabelos dourados repousando sobre o peito de sua túnica de veludo. Os lábios rosados estavam separados, mostrando a linha perfeita de dentes brancos como a neve, e um sorriso brincalhão passou por suas feições infantis. As perninhas brancas e rechonchudas, que terminavam em meias brancas e sapatos limpos de fivelas brilhantes, ofereciam um estranho constraste com os longos membros enrugados de seu companheiro. Na borda da rocha acima dos estranhos viajantes, havia três abutres solenes que, diante dos recém-chegados, soltaram gritos estridentes de decepção e alçaram voo para longe.

Os gritos das aves despertaram os dorminhocos, que os encararam, perplexos. O homem cambaleou sobre os pés e olhou para a planície abaixo, que estivera desolada quando fora tomado pelo sono, e que agora estava atravessada por aquele enorme grupo de homens e animais. Seu rosto assumiu uma expressão de incredulidade enquanto observava, e ele passou a mão ossuda nos olhos. "Acho que é isso o que chamam de delírio", murmurou. A criança ficou de pé ao seu lado, segurando a ponta do casaco, e não disse nada, mas observou o arredor com um olhar interrogativo típico da infância.

A equipe de resgate rapidamente foi capaz de convencer os dois párias de que seu aparecimento não era ilusão. Um deles agarrou a menina e a colocou sobre os ombros, enquanto outros dois apoiaram seu companheiro esquelético e o ajudaram a chegar até os vagões.

— Meu nome é John Ferrier — explicou o caminhante. — Eu e essa pequena somos tudo o que resta de um grupo de vinte e uma pessoas. Os outros morreram de sede ou de fome pelo sul.

— Ela é a sua filha? — perguntou alguém.

— Acho que agora é — exclamou o outro de forma desafiadora. — Ela é minha porque a salvei. Nenhum homem vai tirá-la de mim. Ela é Lucy Ferrier de hoje em diante. Quem são vocês, afinal? — continuou, observando seus resgatadores queimados pelo sol com curiosidade. — Parece haver um grande grupo de vocês.

— Quase dez mil — disse um dos jovens. — Somos os filhos perseguidos de Deus; os escolhidos do anjo Morôni.

— Nunca ouvi falar sobre ele — respondeu o andarilho. — Parece ter escolhido um grande grupo.

— Não brinque com aquilo que é sagrado — repreendeu o outro, severamente. — Somos aqueles que acreditam nos Escritos Sagrados, desenhados em letras egípcias em placas de ouro batido, que foram entregues ao santo Joseph Smith, em Palmyra. Nós viemos de Nauvoo, no estado de Illinois, onde havíamos fundado nosso templo. Viemos buscar o refúgio contra um homem violento e dos ímpios, embora seja no coração do deserto.

O nome Nauvoo obviamente refrescou a memória de John Ferrier.

— Percebo — disse ele — que são mórmons.

— Nós somos os mórmons — responderam os indivíduos em uma só voz.

— E para onde estão indo?

— Não sabemos. A mão de Deus está nos levando sob a pessoa do nosso Profeta. Você deve ser levado à sua presença. Ele dirá o que deve ser feito com vocês.

A essa altura, haviam alcançado a base da colina e estavam cercados por uma multidão de peregrinos – mulheres pálidas de aparência mansa, crianças risonhas e fortes e homens ansiosos de olhar sério. Muitos foram os gritos de espanto e comiseração quando perceberam a pouca idade de um dos estranhos e a situação miserável do outro. Porém, sua escolta continuou andando, seguida pela multidão de mórmons até chegar a um vagão que era notável por seu tamanho, pela ostentação e elegância de sua aparência. Seis cavalos estavam unidos a ele, enquanto os outros eram movidos por dois, ou, no máximo, quatro. Ao lado do cocheiro estava sentado um homem que não poderia ter mais de trinta anos, mas cuja cabeça enorme e expressão resoluta o marcavam como líder. Estava lendo um volume de capa marrom, mas quando a multidão se aproximou, colocou-o de lado e ouviu atentamente o relato do episódio. Então, virou-se para os dois párias.

— Se os levarmos conosco — falou com voz solene — será somente como fiéis ao nosso credo. Não teremos lobos em nosso rebanho. Melhor que seus ossos se deteriorem no deserto do que provarem ser aquela pequena partícula de apodrecimento que destrói a fruta com o tempo. Vocês virão com esses termos?

— Acho que irei com você sob quaisquer termos — afirmou Ferrier com tanta ênfase que os anciãos de aparência grave não conseguiram evitar de sorrir. Somente o líder manteve a expressão firme e impressionante.

— Leve-o, irmão Stangerson — disse ele. — Dê comida e água a ele e à criança. Deixo-lhe a tarefa de ensinar-lhes nosso santo credo. Já nós atrasamos em demasia. Adiante! Avante para Sião!

— Avante para Sião! — gritou a multidão de mórmons, e as palavras ondularam pela longa caravana, passando de boca em boca até morrer em um murmúrio surdo à grande distância. Com um estalar de chicotes e um ranger de rodas, os grandes vagões estraram em movimento e logo toda a caravana estava andando mais uma vez. O ancião responsável pelo cuidado dos párias os conduziu ao seu vagão, onde uma refeição já os aguardava.

— Vocês devem esperar aqui — disse-lhes ele. — Em alguns dias vocês terão se recuperado das fadigas. Enquanto isso, lembrem-se de que de agora para todo o sempre vocês pertencem à nossa religião. Brigham Young disse isso e falou com a voz de Joseph Smith, que é a voz de Deus.

CAPÍTULO II
A flor de Utah

Esse não é o lugar para comemorar as provações e privações sofridas pelos mórmons imigrantes antes de chegarem ao seu refúgio final. Desde as margens do Mississipi até as encostas ocidentais das Montanhas Rochosas, eles tinham lutado contra uma constância quase sem precedentes na história. Haviam superado, com a tenacidade anglo-saxônica, todo impedimento que a natureza pudesse colocar no caminho, o homem selvagem, as feras, a fome, a sede e as doenças. Mesmo assim, a longa jornada e os terrores acumulados abalaram os corações dos mais fortes entre eles. Não havia ninguém que não se ajoelhara em oração sincera quando viu o largo vale de Utah banhado pela luz do sol, e souberam pela boca do líder que aquela era a terra prometido e que aqueles acres virgens eram deles para sempre.

Young rapidamente provou ser um administrador habilidoso e um chefe resoluto. Mapas foram traçados e gráficos preparados nos quais a futura cidade foi esboçada. Todas as fazendas eram repartidas e distribuídas em proporção a cada indivíduo. O comerciante foi encaminhado para seu chamado e o artesão ao seu ofício. As ruas e praças da cidade surgiam como em um passe de mágica. No campo, havia drenagem e cobertura, plantio e limpeza, até que o verão seguinte viu todo a região dourada com a colheita de trigo. Tudo prosperava no estranho assentamento. Acima de tudo, o grande templo que erguiam no centro da cidade ficava cada vez maior e mais alto. Desde o primeiro raiar da alvorada até o cair do crepúsculo, o barulho do martelo e o ranger da serra nunca ficavam ausentes do monumento que aqueles imigrantes erigiram Àquele que os levou a salvo em meio a muitos perigos.

Os dois párias, John Ferrier e a menininha que compartilhou seu destino e foi adotada como sua filha, acompanharam os mórmons até o fim da sua grande peregrinação. A pequena Lucy Ferrier foi transportada com grande conforto na carroça do velho Stangerson, um vagão que ela dividia com as três esposas do mórmon e o filho, um rapaz de doze anos. Tendo se recuperado do choque causado pela morte da mãe com a facilidade de adaptação da infância, ela logo se tornou a queridinha das mulheres e se adaptou a essa nova vida nessa casa em movimento. Enquanto isso, Ferrier, tendo se recuperado de seus infortúnios, destacou-se como um guia útil e um caçador incansável. Ganhou a estima de seus novos companheiros tão rapidamente que, quando chegaram ao fim de suas andanças, decidiram por unanimidade que deveria ser fornecido a ele um território tão grande e fértil quanto o de qualquer outro colono, com exceção do próprio Young e de Stangerson, Kemball, Johnston e Drebber, que eram os quatro anciões principais.

Na fazenda recém-adquirida, John Ferrier construiu uma casa de toras tão grande e que recebeu tantos acréscimos ao longo dos anos que se tornou uma *villa* espaçosa. Ele era um homem de mentalidade prática, interessado em negócios e habilidoso com as mãos. Sua constituição forte permitia que trabalhasse de manhã até a noite para melhorar e cultivar as suas terras. Isso fez com que sua fazenda e tudo que possuía prosperasse incrivelmente. Em três anos estava melhor do que seus vizinhos; em seis, estava bem de vida; em nove, estava rico e em doze não havia meia dúzia de homens em toda Salt Lake City que poderiam ser comparados a ele. Não existia nome mais conhecido desde o Grande Mar Interior até as Montanhas Wahsatch que o dele.

Houve apenas um ponto que ofendeu as suscetibilidades de seus correligionários. Nenhum argumento ou persuasão jamais conseguiu convencê-lo a se estabelecer com alguma mulher à maneira dos seus companheiros. Ele nunca deu razão para essa recusa persistente, mas contentou-se em prosseguir de forma resoluta e inflexível em sua determinação. Alguns o acusavam de indiferença para com a religião, outros atribuíram a relutância em incorrer as despesas à ganância para riqueza. Outros, ainda, falavam de algum caso de amor da juventude e de uma jovem de cabelos claros que tinha perdido as forças às margens do Atlântico. Seja qual fosse o motivo, Ferrier permaneceu estritamente celibatário. Em todos os outros aspectos, ele se conformava à religião do jovem povoado e ganhou a reputação de ser um homem direito e ortodoxo.

Lucy Ferrier cresceu na casa de toras e ajudava o pai adotivo em todos os seus empreendimentos. O ar afiado das montanhas e o odor balsâmico dos pinheiros assumiram o papel de ama e mãe da jovem. Conforme os anos passaram, ela ficou mais alta e mais forte, com bochechas mais coradas e os passos mais resistentes. Muitos dos que passavam pela estrada ao lado da fazenda de Ferrier sentiam reviver pensamentos havia muito esquecidos enquanto observavam a figura feminina tropeçando nos campos de trigo, ou a encontravam montada sobre o arisco cavalo do pai, guiando-o com a facilidade e graça de um verdadeiro filho do Ocidente. Assim, o botão se transformou em uma flor, e o ano em que viu o pai se tornar o fazendeiro mais rico a transformou na mais bela espécime de moça americana que podia ser encontrada em toda a costa do Pacífico.

Não foi o pai, no entanto, quem descobriu primeiro que a criança havia se transformado uma mulher. Raramente é de outro jeito. Essa misteriosa mudança é muito sutil e gradual para ser medida por datas. É mais demorado ainda para a donzela saber disso, até que o tom de uma voz ou o toque de uma mão deixe seu coração emocionado. Aí ela aprende, com uma mistura de orgulho e medo, que uma nova e maior natureza despertou dentro de si. A maioria não consegue se lembrar do dia e do pequeno incidente que anunciava o alvorecer de uma nova vida. No caso de Lucy Ferrier, a ocasião era suficientemente séria além de sua influência futura em seu destino ou de muitos outros.

Era uma manhã quente de junho e os Santos dos Últimos Dias estavam tão ocupados quanto abelhas, cuja colmeia haviam escolhido como emblema. Nos campos e nas ruas se elevava o mesmo zumbido da indústria humana. Descendo as estradas altas e poeirentas, desfilavam dezenas de mulas carregadas pesadamente, todas indo para o Oeste, porque a febre do ouro tinha explodido na Califórnia e a rota terrestre cruzava a Cidade do Eleito. Ali também passou rebanhos de ovelhas e de bois que vinham das terras das pastagens e cortejos de imigrantes cansados da sua jornada, tanto homens quanto cavalos. Passando por todo esse conjunto heterogêneo, Lucy Ferrier galopava, abrindo caminho com a habilidade de um cavaleiro experiente, seu rosto bonito corando com o exercício e seus longos cabelos castanhos flutuando atrás de si. Tinha recebido uma incumbência de seu pai na cidade e estava correndo como havia feito muitas vezes com toda a audácia da juventude, pensando apenas em sua tarefa e em como ela deveria ser executada. Os aventureiros marcados pela viagem olhavam-na com espanto, e até os índios sem emoção, viajando com suas peles, emergiram de seu estoicismo costumeiro enquanto se maravilhavam com a beleza da donzela de cara pálida.

Ela havia chegado à periferia da cidade quando encontrou a estrada bloqueada por um grande rebanho de gado, conduzido por meia dúzia de pastores de aparência selvagem vindo das planícies. Em sua impaciência, esforçou-se para passar por esse obstáculo, empurrando o cavalo pelo que lhe parecia ser uma lacuna. No entanto, mal entrara nela e os animais se fecharam atrás da moça, e ela se viu completamente imersa no fluxo em movimento de bois com olhos ferozes e chifres longos. Não ficou alarmada com a situação, pois estava acostumada a lidar com o gado. Porém, aproveitou todas as oportunidades para empurrar o cavalo na esperança de abrir caminho pela boiada. Infelizmente, por acidente ou desígnio, os chifres de uma das criaturas entraram em contato violento com o flanco do cavalo e o levou à loucura. Em um instante, ergueu-se sobre suas patas traseiras com um bufo de raiva, e saltou de um jeito que teria desalojado qualquer um, exceto o cavaleiro mais hábil. A situação estava cheia de perigos. Cada salto do cavalo agitado o levava novamente contra os chifres e a uma nova loucura. Tudo o que a garota podia fazer era tentar se manter na sela, porque um deslize significaria uma morte terrível debaixo das patas de animais pesados e assustados.

Sem estar acostumada a emergências repentinas, a sua cabeça começou a girar e ela afrouxou a rédea. Sufocada pela nuvem crescente de poeira que se levantava e pelo fedor das criaturas lutando, poderia ter se desesperado, mas uma voz bondosa ao seu lado lhe assegurou uma assistência. No mesmo momento, forçando um caminho entre o rebanho, uma mão morena e forte puxou o cavalo assustado para o canto e a levou para o lado de fora.

— Espero que não esteja machucada, senhorita — disse o salvador de forma respeitosa.

Ela olhou para seu rosto forte e escuro e riu descaradamente.

— Estou bastante assustada — respondeu ela com ingenuidade. — Quem poderia imaginar que o Poncho teria medo de um bando de vacas?

— Graças a Deus que se manteve na sela — comentou o outro com sinceridade. Ele era um jovem alto, de aparência selvagem, montado em um vigoroso cavalo ruano, com trajes de um caçador e um longo rifle pendurado nos ombros. — Acredito que seja a filha de John Ferrier — observou ele. — Eu a vi sair a cavalo da casa dele. Quando o vir, pergunte se ele se lembra dos Jefferson Hopes, de Saint Louis. Se ele é o mesmo Ferrier, meu pai e ele eram bastante chegados.

— Não é melhor vir e perguntar o senhor mesmo? — questionou ela com timidez.

O rapaz pareceu feliz com a sugestão, e seus olhos escuros cintilaram de prazer.

— Farei isso — respondeu ele. — Faz dois meses que estamos nas montanhas, e nossa aparência não está das melhores. Ele vai ter que nos aceitar do jeito que estamos.

— Ele tem muito para lhe agradecer, e eu também — declarou ela. — Ele tem muita afeição por mim. Se essas vacas tivessem me pisoteado, ele não ia suportar.

— Nem eu — afirmou seu companheiro.

— O senhor! Bem, não vejo como isso faria diferença para o senhor, de qualquer forma, já que nem é amigo nosso.

O rosto moreno do jovem caçador ficou tão sombrio com essa observação que Lucy Ferrier deu uma gargalhada.

— Calma, não quis dizer isso — disse ela. — Claro que é meu amigo agora. O senhor deve ir nos visitar. Bem, agora preciso ir andando ou papai não vai confiar seus negócios a mim. Adeus!

— Adeus — respondeu ele, levantando seu grande sombreiro e curvando-se sobre a mão dela. Ela virou seu cavalo, fustigou-o com o chicote de montaria e disparou em uma nuvem de poeira pela estrada larga.

O jovem Jefferson Hope prosseguiu com seus companheiros, sombrio e taciturno. Eles tinham estado entre as montanhas de Nevada procurando por prata, e estavam voltando para Salt Lake City na esperança de levantar capital suficiente para trabalhar em alguns veios de minérios que haviam descoberto. Ele estivera tão interessado nesse negócio como qualquer outro, mas esse incidente tinha levado seus pensamentos para outro lugar. A visão daquela bela jovem, tão franca e saudável como a brisa de Sierra, estremecera as profundezas do seu vulcânico e indomável coração. Quando ela desapareceu da sua vista, ele percebeu que uma crise havia chegado à sua vida, e que nem especulações de prata, nem quaisquer outras questões poderiam ser-lhe de tamanha importância tal como esse novo e absorvente sentimento. O amor que surgiu em seu coração não era uma fantasia súbita e mutável de um menino, mas a paixão selvagem e feroz de um homem de vontade forte e temperamento impetuoso. Tinha sido acostumado a ter sucesso em tudo o que empreendia e jurou em seu coração que não falharia se o esforço e perseverança o recompensassem.

Visitou John Ferrier naquela noite e em muitas outras depois, até que seu rosto se tornou familiar naquela casa. John, confinado no vale e absorto em seu trabalho, tivera poucas chances de saber sobre as notícias do mundo exterior durante os últimos doze anos. Jefferson Hope foi capaz de contar-lhes tudo, em um estilo que interessou tanto ao pai quanto a Lucy. Ele tinha sido um pioneiro na Califórnia, e podia narrar muitos contos estranhos de fortunas feitas e perdidas naqueles dias bonitos e selvagens. Também fora batedor, caçador, explorador de prata e vaqueiro. Onde quer que houvesse aventuras emocionantes, Jefferson Hope estivera em busca deles. Logo se tornou o favorito do velho fazendeiro, que falava eloquentemente sobre suas virtudes. Nessas ocasiões, Lucy ficava em silêncio, mas sua face ruborizada e seus olhos radiantes e felizes mostravam claramente que o coração da jovem já não era mais dela. Seu honrado pai pode não ter observado os sintomas, mas eles claramente não foram despercebidos pelo homem que havia conquistado a sua afeição.

Era uma tarde de verão quando ele veio galopando pela estrada e parou na porteira. Ela estava à porta e desceu para encontrá-lo. Ele jogou o arreio sobre a cerca e fez o caminho a passos largos.

— Estou indo embora Lucy — disse ele, segurando suas mãos nas dele e olhando seu rosto com ternura. — Não pedirei para vir comigo agora, mas estará pronta para partir comigo quando eu voltar?

— E quando será isso? — perguntou ela, rindo e corando.

— Daqui a uns dois meses. Mas voltarei e a reivindicarei, minha querida. Ninguém pode ficar entre nós.

— E o meu pai? — questionou ela.

— Ele deu sua permissão desde que consigamos manter essas minas funcionando direito. Não tenho preocupação quanto a isso.

— Oh, bem, é claro, se você e meu pai já arranjaram tudo, não há nada mais a ser dito — sussurrou ela com o queixo apoiado no peitoral largo do rapaz.

— Graças a Deus! — exclamou ele com voz rouca, inclinando-se para beijá-la. — Está resolvido, então. Quanto mais tempo eu ficar, mais difícil será partir. Eles estão esperando por mim no cânion. Adeus, minha querida... adeus. Daqui a dois meses você me verá.

Afastou-se dela enquanto falava e, montando no cavalo, seguiu em um galope veloz, sem sequer olhar em volta, como se temesse que sua resolução pudesse falhar se espiasse o que deixava para trás. Ela ficou ao lado da porteira, fitando-o até que desapareceu de vista. Então voltou para casa sentindo-se a garota mais feliz de todo o Utah.

CAPÍTULO III

John Ferrier fala com o Profeta

Três semanas haviam se passado desde que Jefferson Hope e seus camaradas tinham partido de Salt Lake City. O coração de John Ferrier estava dolorido ao pensar no retorno do jovem e na iminente perda da filha adotiva. No entanto, o rosto radiante e feliz da moça fez com que se reconciliasse com o arranjo mais do qualquer argumento poderia ter feito. Ele havia determinado muito tempo antes, no fundo do seu coração resoluto, que jamais consentiria que a filha se casasse com um mórmon. Para ele, tal união não se tratava de um casamento, mas, sim, de uma vergonha e desgraça. Seja o que for que pensasse sobre as doutrinas mórmons, ele era inflexível sobre aquele ponto. No entanto, teve que permanecer de boca calada sobre o assunto, porque expressar uma opinião pouco ortodoxa era perigoso naqueles dias na terra dos Santos.

Sim, era um assunto perigoso – tanto que até mesmo os mais santos ousavam apenas sussurrar suas opiniões religiosas com a respiração suspensa, temendo que algo que saísse dos seus lábios pudesse ser mal interpretado e levasse a uma rápida punição. As vítimas da perseguição tinham agora se transformado em perseguidores, e dos mais terríveis. Nem a Inquisição Espanhola, nem o Vehmgericht alemão, nem as sociedades secretas da Itália foram capazes de colocar em movimento maquinaria mais formidável do que aquela que projetava uma sombra sobre o estado de Utah.

A invisibilidade e o mistério associados a isso tornavam a organização duplamente terrível. Parecia ser onisciente e onipotente, e mesmo assim não era vista nem ouvida. O homem que fosse contra à Igreja desapareceria e ninguém ficaria sabendo o que tinha acontecido ou para onde ele havia ido. Sua esposa e filhos o esperavam em casa, mas nenhum pai retornava para lhes contar como havia sido julgado nas mãos dos seus juízes secretos. Uma palavra imprudente ou um ato precipitado era seguidos por aniquilação, e, ainda assim, ninguém sabia qual era a origem desse terrível poder que pairava sobre eles. Não era de se admirar que os homens andassem tremendo de medo, e que mesmo no coração do deserto não ousassem sussurrar as dúvidas que os oprimiam.

A princípio, esse poder vago e terrível foi exercido apenas sobre os teimosos que, tendo abraçado a fé mórmon, desejaram abandoná-la ou pervertê-la. Logo, no entanto, teve um alcance mais amplo. O suprimento de mulheres adultas estava acabando, e a poligamia sem uma população feminina para alimentá-la era de fato uma doutrina estéril. Rumores estranhos começaram a surgir – rumores de imigrantes assassinados e acampamentos saqueados em regiões onde os índios nunca haviam sido vistos.

Novas mulheres apareciam nos haréns dos anciãos – mulheres que definhavam e choravam, mostrando em seus rostos um horror inextinguível. Andarilhos retardatários nas montanhas falavam de grupos de homens armados, mascarados, furtivos e silenciosos que passeavam por eles na escuridão. Esses contos e rumores tomaram sustância e forma: foram corroborados e confirmados, até que eles mesmos resolveram colocar um nome definitivo. Até hoje, nas fazendas solitárias do Oeste, o nome da Bando Danita, ou os Anjos Vingadores, é sinistro e de mau agouro.

O conhecimento completo da organização que produzia resultados tão terríveis serviu para aumentar o horror que inspirou a mente dos homens. Ninguém sabia quem pertencia a essa sociedade implacável. Os nomes dos participantes dos atos de sangue e violência feitos em nome da religião foram mantidos em segredo profundo. O mesmo amigo a quem você comunicava suas dúvidas quanto ao Profeta e sua missão poderia ser um daqueles que saem à noite para exigir uma horrível reparação a ferro e fogo. Consequentemente, todo homem temia o seu vizinho, e ninguém falava das coisas que afligiam o coração.

Em uma bela manhã, John Ferrier estava prestes a partir para seus campos de trigo quando ouviu o clique de uma trava e, olhando pela janela, viu um homem de meia-idade, corpulento e com cabelos cor de areia, subindo pela trilha. Seu coração saltou para a boca, pois o homem não era outro senão o grande Brigham Young. Cheio de temor – pois sabia que tal visita não era um preságio muito bom –, Ferrier correu para a porta para cumprimentar o chefe mórmon. Esse último, no entanto, recebeu suas saudações friamente e o seguiu para a sala de estar com uma expressão severa no rosto.

— Irmão Ferrier — disse ele, sentando-se e observando o fazendeiro com profundo interesse debaixo dos cílios claros. — Os verdadeiros crentes têm sido bons amigos para você. Nós o acolhemos quando estava morrendo de fome no deserto, dividimos nossa comida com você, o levamos em segurança para o Vale Escolhido, demos a você um considerável pedaço de terra e permitimos que ficasse rico sob nossa proteção. Não é verdade?

— É, sim — respondeu John Ferrier.

— Em troca de tudo isso, impusemos somente uma condição: que você abraçasse a fé verdadeira e se conformasse com todos os aspectos em seus costumes diários. Você prometeu fazer isso, e se o que dizem é verdadeiro, tem sido negligente.

— E como tenho sido negligente? — questionou Ferrier, jogando as mãos para o alto em admoestação. — Não tenho doado para o fundo comum? Não tenho comparecido ao Templo? Não tenho...?

— Onde estão suas esposas? — indagou Young, olhando ao redor. — Chame-as aqui, para que eu as conheça.

— É verdade que não me casei — respondeu Ferrier. — Mas havia poucas mulheres, e muitos tinham melhores reivindicações que as minhas. Não sou um homem solitário: tenho minha filha que me ajuda em tudo que preciso.

— É da sua filha que quero falar — retrucou o líder dos mórmons. — Ela cresceu e se transformou na flor de Utah e é agradável aos olhos de muitos que são importantes nessa terra.

John Ferrier gemeu internamente.

— Há histórias que eu gostaria de não acreditar... histórias que afirmam que ela foi prometida a algum gentio. Deve ser uma fofoca das línguas ociosas. Qual é a décima terceira regra no código do santo Joseph Smith? "Que toda donzela da verdadeira fé se case com um dos eleitos, pois se ela se casar com um gentio, comete um pecado grave". Assim sendo, é impossível que você, que professa o santo credo, permita que sua filha pratique tal violação.

John Ferrier não respondeu, mas brincou nervosamente com seu chicote de equitação.

— Nesse ponto, toda sua fé será testada. Assim foi decidido no Conselho Sagrado dos Quatro. A garota é jovem e não queremos que se case de cabelos grisalhos, nem a privaríamos de uma escolha. Nós, anciãos, temos muitas novilhas, mas nossos filhos também precisam ter as deles. Stangerson tem um filho e Drebber também, e os dois ficariam felizes em acolher sua filha em casa. Deixe-a escolher entre eles. Eles são jovens, ricos e de verdadeira fé. O que tem a dizer sobre isso?

Ferrier permaneceu em silêncio por um tempo, as sobrancelhas unidas.

— Você nos dará um tempo — disse finalmente. — Minha filha é muito nova, ainda é jovem para se casar.

— Ela terá um mês para escolher — declarou Young, levantando-se do seu lugar. — No final desse tempo, ela deverá dar a resposta.

Estava passando pela porta quando se virou e, com o rosto vermelho e os olhos cintilando, troveyou:

— Teria sido melhor, John Ferrier, que vocês estivessem agora deitados como esqueletos branqueados sobre a Sierra Blanco, do que tentar colocar suas vontades fracas contra as ordens dos Quatro Santos!

Com um aceno ameaçador, virou-se para porta e Ferrier ouviu seus passos pesados triturando os seixos da trilha.

Ainda estava sentado com os cotovelos apoiados nos joelhos e considerando como deveria abordar o assunto com a filha, quando uma mão suave pousou sobre seu ombro. Ergueu o olhar e a viu em pé ao seu lado. Um olhar em seu rosto apavorado e pálido lhe mostrou que ela tinha ouvido o que havia se passado.

— Não pude evitar — disse em resposta ao seu olhar. — A voz dele soou pela casa. Oh, pai, meu pai, o que faremos?

— Não fique assustada — respondeu ele, puxando-a para si e acariciando-lhe os cabelos com sua mão larga e áspera. — Vamos consertar tudo de uma forma ou de outra. Você não acha que sua afeição por aquele rapaz está diminuindo, não é?

A resposta dela foi um soluço e um aperto na mão.

— Não, é claro que não. Eu não gostaria de ouvir você dizer que sim. Ele é um bom rapaz e é cristão, o que é mais do que posso dizer desse povo daqui, apesar de todas essas orações e pregações. Há um grupo saindo para Nevada amanhã: vou enviar uma mensagem para que ele saiba o buraco em que nos metemos. Se sei algo a respeito desse jovem, ele estará de volta com a velocidade de um telegrama.

Lucy riu em meio às lágrimas com a descrição feita pelo pai.

— Quando ele estiver aqui, vai nos aconselhar para o melhor. Mas estou com medo por você, querido. Ouvem-se histórias terríveis sobre aqueles que se opõem ao Profeta: algo horrível sempre acontece com eles.

— Mas ainda não nos opusemos a ele — respondeu o pai. — Quando fizermos isso, será hora de nos prepararmos para uma tempestade. Temos um mês inteiro à nossa frente; no fim dele, acredito que teremos que fugir de Utah.

— Deixar Utah!

— Não tem mais o que fazer.

— Mas e a fazenda?

— Conseguiremos o máximo de dinheiro possível e deixamos o resto para trás. Para dizer a verdade, Lucy, essa não é a primeira vez que cogito fazer isso. Não gosto de submeter a homem nenhum como essas pessoas fazem com seu maldito Profeta. Eu sou um americano nascido livre e tudo isso é novo para mim. Acho que sou velho demais para aprender. Se ele vier vasculhar esta fazenda, pode se deparar com uma rajada de balas viajando na direção oposta.

— Mas eles não nos deixarão ir embora — objetou a filha.

— Espere até o Jefferson chegar, e vamos dar um jeito. No meio-tempo, não se preocupe, minha querida, e não deixe os olhos inchados, senão ele vai brigar comigo quando a vir. Não há nada com o que se preocupar, nem qualquer perigo.

John Ferrier proferiu essas palavras consoladoras em um tom muito confiante, mas ela não pôde deixar de observar que ele teve um cuidado incomum ao trancar as portas naquela noite, e que limpou e carregou cuidadosamente a espingarda velha e enferrujada que tinha na parede do seu quarto.

CAPÍTULO IV

Uma fuga desesperada

Na manhã que se seguiu ao interrogatório do profeta mórmon, John Ferrier foi a Salt Lake City e, tendo encontrado seu conhecido que estava a caminho das montanhas de Nevada, confiou-lhe sua mensagem a Jefferson Hope. Nela, narrou ao jovem o perigo iminente que os ameaçava e disse como era necessário que ele retornasse. Tendo feito isso, sentiu sua mente mais tranquila e voltou para casa com o coração mais leve.

Ao se aproximar de sua fazenda, ficou surpreso ao ver um cavalo amarrado a uma das madeiras da porteira. Surpreendeu-se ainda mais ao entrar e encontrar dois jovens em sua sala de estar. Um deles, com o rosto comprido e pálido, recostava-se na cadeira de balanços com os pés apoiados no fogão. O outro, um jovem de pescoço de touro e com traços inchados e grosseiros, estava de pé na frente da janela, as mãos no bolso, assobiando um hino conhecido. Ambos acenaram quando Ferrier entrou, e o que estava balançando na cadeira começou a conversa.

— Talvez o senhor não nos conheça — disse. — Esse aqui é o filho de Elder Drebber, e eu sou filho do Joseph Stangerson, que viajou com o senhor pelo deserto quando o Senhor estendeu Suas mãos e os juntou com o verdadeiro rebanho.

— Como Ele fará com todas as nações em Seu próprio tempo — falou o outro com uma voz nasalada. — Ele mói lentamente, mas a farinha é finíssima.

John Ferrier fez uma reverência fria. Ele adivinhara quem eram seus visitantes.

— Nós viemos — prosseguiu Stangerson — a conselho de nossos pais para pedir a mão de sua filha para aquele entre nós que parecerá bom para o senhor e para ela. Como eu tenho apenas quatro mulheres e o irmão Drebber aqui tem sete, parece-me que minha reivindicação é a mais forte.

— Não, não, irmão Stangerson! — exclamou o outro. — A questão não é quantas esposas temos, mas quantas somos capazes de sustentar. Meu pai recentemente me deu seus moinhos e eu sou o homem mais rico.

— Mas as minhas perspectivas são melhores — contrapôs o outro calorosamente. — Quando o Senhor levar o meu pai, eu terei seu curtume e sua fábrica de couro. E, ainda, sou mais velho, e estou em posição superior na Igreja.

— A donzela que decidirá — retornou o jovem Drebber, sorrindo para seu próprio reflexo no espelho. — Vamos deixar que ela decida tudo.

Durante o diálogo, John Ferrier ficou fumegando na porta, mal conseguindo manter seu chicote longe das costas dos visitantes.

— Olhem aqui — disse por fim, caminhando até eles. — Quando minha filha lhes chamar, vocês poderão vir, mas, até lá, não quero ver seus rostos novamente.

Os dois jovens mórmons olharam para ele com espanto. A seu ver, essa competição pela mão da donzela era a mais alta honra para ela e para o pai.

— Há dois modos de sair da sala — gritou Ferrier. — A porta ou a janela. Qual gostariam de usar?

Seu rosto moreno parecia tão selvagem e suas mãos esqueléticas tão ameaçadoras que seus visitantes se puseram de pé e bateram em retirada rapidamente. O velho fazendeiro os seguiu até a porta.

— Avisem-me quando tiverem resolvido qual dos dois vai se casar com ela — falou com ironia.

— Você há de pagar por isso! — gritou Stangerson, branco de raiva. — Você desafiou o Profeta e o Conselho dos Quatro. Vai lamentar até o fim dos seus dias.

— A mão do Senhor pesará sobre você! — exclamou o jovem Drebber. — Ele se levantará para puni-lo!

— Então vou começar a punição — bradou Ferrier furiosamente, e teria corrido pelas escadas com sua arma se Lucy não tivesse agarrado seu braço e o impedido. Antes que ele conseguisse escapar dela, o barulho dos cascos dos cavalos lhes disse que eles estavam além de seu alcance.

— Que jovens malandros! — ladrou, enxugando o suor da testa.

— Eu prefiro vê-la em seu túmulo, minha filha, a vê-la como esposa de qualquer um deles.

— Eu também, pai — respondeu ela com presença de espírito. — Mas Jefferson logo estará aqui.

— Sim. Não demorará muito para que ele chegue. O quanto antes melhor, pois não sabemos quais poderão ser os próximos passos deles.

Na verdade, já era tempo de alguém ser capaz de dar conselhos e de vir ao auxílio do velho fazendeiro e de sua filha adotiva. Nunca houve um caso de tamanha desobediência aos anciãos em toda a história do assentamento. Se pequenos erros eram punidos com severidade, imagine qual seria o destino desse inimigo rebelde. Ferrier sabia que sua riqueza e posição não lhe valiam de nada. Outros tão conhecidos e ricos quanto ele já haviam sido levados embora e seus bens entregues à Igreja. Ele era um homem corajoso, mas tremeu com a vaga sombra de terrores que pairavam sobre ele. Poderia enfrentar com bravura qualquer perigo conhecido, mas esse suspense era enervante. No entanto, escondeu seus medos da filha, e tentou tornar todo o assunto mais leve, porém, o olhar aguçado de amor da filha percebeu claramente que ele estava pouco à vontade.

Esperava receber alguma mensagem ou advertência de Young quanto à sua conduta e não estava errado, ainda que isso tenha vindo de uma maneira inesperada. Ao acordar na manhã seguinte, encontrou, para sua surpresa, um pequeno papel quadrado preso à colcha de sua cama, próximo ao seu peito. Nele foi escrito em letras nítidas: "Vinte e nove dias foram dados a você para se corrigir, e depois disso..."

As reticências inspiraram mais medo do que qualquer ameaça. Como colocaram essa advertência em seu quarto intrigou John Ferrier, porque seus criados dormiam em uma casa do lado de fora e as portas e janelas estavam bem fechadas. Ele amassou o papel e não disse nada para a filha, mas o incidente lhe deu calafrios. Os vinte e nove dias eram evidentemente o que restava do mês que Young prometera. Que força ou coragem poderia valer contra inimigos armados com poderes tão misteriosos? A mão que prendeu o alfinete poderia tê-lo atingido no coração, e ele nunca saberia quem o havia matado.

Ele estava ainda mais abalado na manhã seguinte. Sentaram-se para o desjejum quando Lucy apontou para o alto e deu um grito de surpresa. No centro do teto estava rabiscado, aparentemente com um graveto queimado, o número 28. Para a filha isso era incompreensível e ele não a esclareceu. Naquela noite, sentou-se na cama com a arma em mãos e ficou vigiando. Não viu nem ouviu coisa alguma, contudo, na manhã seguinte um grande 27 tinha sido pintado do lado de fora de sua porta.

Assim os dias se seguiram: tão certo quanto a manhã chegava, ele descobria que seus inimigos invisíveis tinham mantido seus registros e haviam marcado em alguma posição conspícua quantos dias ainda lhe restavam do mês da graça. Às vezes, os números fatais apareciam nas paredes, outras no chão, ocasionalmente em pequenos cartazes presos no portão do jardim ou nos corrimões.

Mesmo com toda a vigilância, John Ferrier não conseguiu descobrir de onde vinham essas advertências diárias. Um horror quase supersticioso o atingia quando os via. Ficou abatido e inquieto e seus olhos tinham a aparência de perturbação de uma criatura acossada. Agora, só tinha uma esperança na vida: a chegada do jovem caçador de Nevada.

Vinte transformara-se em quinze e quinze em dez, mas não houve notícias do ausente. Um por um os números diminuíram e ainda não havia sinal dele. Sempre que um cavaleiro fazia barulho na estrada ou um cocheiro gritava com sua parelha, o velho fazendeiro corria para a porteira pensando que sua ajuda finalmente havia chegado. Por fim, quando viu o cinco dar lugar ao quatro e depois ao três, perdeu a coragem e abandonou toda a esperança de escapar. Sozinho e com o conhecimento limitado das montanhas que cercavam o assentamento, ele sabia que era impotente. As estradas mais frequentadas eram estritamente vigiadas com guardas e ninguém poderia passar por elas sem uma ordem do Conselho. Cogitando todos os caminhos que poderia trilhar, parecia não haver como evitar o golpe que pairava sobre ele. No entanto, o velho nunca hesitou em sua resolução de renunciar à própria vida antes de consentir com o que considerava a desonra de sua filha.

Uma noite, estava sentado sozinho pensando profundamente sobre seus problemas e procurando em vão alguma forma de escapar deles. Aquela manhã tinha mostrado o número 2 na parede da casa, e outro dia seria o último do tempo que lhe fora concedido. O que aconteceria então? Todos os tipos de fantasias vagas e terríveis povoaram a sua imaginação. E a filha... o que seria dela depois que ele se fosse? Não havia escapatória da rede invisível que era jogada sobre eles? Ele afundou a cabeça em cima da mesa e soluçou ao pensar em sua própria incapacidade.

O que era aquilo? No silêncio, ouviu um leve arranhar – baixo, mas muito distinto no silêncio da noite. Vinha da porta da casa. Ferrier foi até o vestíbulo e ouviu atentamente. Houve uma pausa breve e então o som baixo e traiçoeiro se repetiu. Alguém estava claramente batendo muito suavemente em um dos painéis da porta. Era algum assassino da meia-noite que viera para cumprir as ordens do tribunal secreto? Ou algum agente marcando que o último dia da graça havia chegado? John Ferrier achava que a morte instantânea seria melhor do que o suspense que abalava seus nervos e gelava seu coração. Saltando para frente, puxou o ferrolho e abriu a porta.

Lá fora tudo estava calmo e quieto. A noite estava tranquila e as estrelas cintilavam no céu. O pequeno jardim da frente se estendia diante dos olhos do fazendeiro, delimitado pela cerca e a porteira, mas nem ali nem na estrada havia qualquer ser humano. Com um suspiro de alívio, Ferrier olhou para os lados, até que acabou olhando para os próprios pés. Para seu espanto, viu um homem deitado com a cara no chão e com os braços e pernas estirados.

Ficou tão enervado com a visão que se encostou contra a parede e levou a mão à garganta para reprimir a vontade de gritar. Seu primeiro pensamento foi que a figura prostrada era a de um homem ferido ou morrendo, mas, ao analisá-lo, viu que se contorcia pelo chão e adentrava a sala com a rapidez e o silêncio de uma serpente. Uma vez dentro da casa, o homem levantou-se de um salto e fechou a porta, revelando ao fazendeiro atônito a expressão feroz e resoluta de Jefferson Hope.

— Bom Deus! — arfou John Ferrier. — Você me assustou! O que aconteceu para que entrasse desse jeito?

— Dê-me comida — pediu o outro com rouquidão. — Não tive tempo para comer ou beber nada nas últimas quarenta e oito horas. — Ele atirou-se sobre a carne fria e o pão que ainda estavam na mesa do jantar do seu anfitrião e devorou-os com voracidade. — Lucy está lidando bem com a situação? — perguntou quando estava satisfeito.

— Está, ela não sabia do perigo — respondeu o pai.

— Assim é melhor. A casa está sendo vigiada por todos os lados. Foi por esse motivo que rastejei até aqui. Eles podem ser bastante espertos, mas não o suficiente para pegar um caçador *washoe*.

John Ferrier sentiu-se um homem diferente agora que tinha um aliado devoto. Agarrou a mão áspera do jovem e a apertou cordialmente.

— Sinto orgulho de você — disse. — Não há muitos que viriam partilhar dos nossos perigos e problemas.

— Você acertou nisso, parceiro — respondeu o jovem caçador. —Tenho grande respeito por você, mas, se eu estivesse sozinho nesse negócio, eu pensaria duas vezes antes de me colocar nesse ninho de vespas. Venho pela Lucy, e, antes que o mal caía sobre ela, acredito que terá menos um membro da velha família Hope em Utah.

— O que devemos fazer?

— Amanhã é o seu último dia, e a menos que faça algo hoje à noite, você está perdido. Tenho uma mula e dois cavalos esperando em cânion da Águia. Quanto dinheiro você tem?

— Dois mil dólares em ouro e cinco em notas.

— Será o suficiente. Tenho muito mais para acrescentar. Devemos passar por Carson City em meio às montanhas. É melhor acordar a Lucy. Ainda bem que os criados não dormem na casa.

Enquanto Ferrier ausentou-se preparando sua filha para a jornada que se aproximava, Jefferson Hope empacotou tudo o que poderiam comer em uma viagem e encheu um jarro com água, pois sabia por experiência que os poços da montanha eram bem espaçados entre si. Mal terminara seus arranjos quando o fazendeiro retornou com a filha toda vestida e pronta para partir. A saudação entre os amados foi calorosa, mas breve, porque os minutos eram preciosos e havia muito a ser feito.

— Devemos partir imediatamente — disse Jefferson Hope em voz baixa, mas resoluta, como alguém que percebe a grandeza do perigo, mas que fortaleceu seu coração para enfrentá-lo. — As entradas frontais e traseiras estão vigiadas, mas com cautela podemos sair pela janela lateral e atravessar os campos. Chegando à estrada, estaremos a apenas três quilômetros da ravina onde os cavalos estão esperando. Ao amanhecer, devemos estar a meio caminho das montanhas.

— E se formos impedidos? — questionou Ferrier.

— Se eles forem muitos para nós, vamos levar dois ou três conosco — respondeu com um sorriso sinistro, dando um tapa na ponta do revólver que se projetava na frente de sua túnica.

Dentro da casa, todas as luzes tinham sido apagadas, e, da janela escurecida, Ferrier espiou por cima dos campos que tinham sidos seus, e que agora estava prestes a abandonar para sempre. Porém, passara muito tempo se acostumando ao sacrifício, e o pensamento da honra e da felicidade de sua filha superou qualquer pesar por suas fortunas arruinadas. Tudo parecia tão pacífico e feliz, as árvores farfalhando e o amplo e silencioso trecho de campos de grãos, que era difícil acreditar que a aura de assassinato estava à espreita. No entanto, o rosto branco e a expressão fixa do jovem caçador mostravam que, ao se aproximar da casa, vira o suficiente para acreditar.

Ferrier carregava o saco de ouro e notas, Jefferson Hope levava as escassas provisões e a água, enquanto Lucy carregava uma trouxinha contendo alguns dos seus bens mais valiosos. Abrindo a janela com cuidado e muito devagar, esperaram até que uma nuvem obscurecesse a noite e então passaram pelo jardim um por um. Agachados e com a respiração suspensa, atravessaram o caminho e ganharam o abrigo da cerca, a qual contornaram até chegarem à lacuna que se abria para os campos de milho. Tinham acabado de chegar a esse ponto quando o jovem puxou seus dois companheiros e os arrastou para sombra, onde ficaram tremendo em silêncio.

Ainda bem que o treinamento nas pradarias dera a Jefferson Hope os ouvidos de um lince. Ele e os amigos mal haviam se abaixado antes de ouvirem o melancólico pio de uma coruja a alguns metros, que imediatamente foi respondido por outro pio a uma pequena distância. No mesmo momento, uma figura sombria emergiu da lacuna para onde estavam indo e proferiu o sinal melancólico novamente, o que fez um segundo homem aparecer.

— Amanhã à meia-noite — disse o primeiro, que parecia estar comandando a situação. — Quando o curiango piar três vezes.

— Tudo bem — respondeu o outro. — Devemos avisar o irmão Drebber?

— Avise-o, e ele que avise os outros. Nove por sete!

— Sete por cinco! — completou o outro, e as duas figuras se deslocaram por direções diferentes. Suas palavras finais evidentemente tinham sido algum tipo de senha e contrassenha. No instante em que o ruído dos passou morreu ao longe, Jefferson Hope ficou de pé, e, depois de ajudar seus companheiros a passar pela abertura, liderou o caminho através dos campos em alta velocidade, apoiando e carregando a garota um pouco, quando a força dela parecia falhar.

— Depressa! Depressa! — dizia de vez em quando, ofegante. — Estamos passando pela linha das sentinelas. Tudo depende da velocidade. Depressa!

Quando chegaram à estrada, fizeram grande progresso. Encontraram um conhecido apenas uma vez, mas conseguiram entrar em um campo e evitar que os reconhecessem. Antes de chegarem à cidade, o caçador virou em um caminho estreito que levava às montanhas. Dois picos escuros e irregulares pairavam acima deles em meio à escuridão e o desfiladeiro que ficava entre eles era o cânion da Águia, no qual os cavalos aguardavam. Com um instinto infalível, Jefferson Hope encontrava o caminho entre as grandes rochas e ao longo de um curso de água seco até chegar ao canto extremo, protegido por pedras, onde os fiéis animais haviam sido amarrados. A garota foi colocada sobre a mula e o velho Ferrier em um dos cavalos, com o seu saco de dinheiro, enquanto Jefferson Hope levou o outro ao longo do caminho íngreme e perigoso.

Era uma rota desconcertante para quem não estava acostumado a enfrentar a natureza em seu humor mais selvagem. De um lado, um grande penhasco se elevava a centenas de metros, negro, severo e ameaçador, com longas colunas basálticas em sua superfície acidentada como as costelas de um monstro petrificado. Por outro lado, um caos selvagem de pedregulhos e escombros tornava o avanço impossível. Entre eles passava uma trilha irregular, tão estreita em alguns lugares que tiveram que viajar em fila indiana, e tão difícil que só cavaleiros experientes poderiam ter atravessado. Apesar de todos os perigos e dificuldades, o coração dos fugitivos estava leve, pois cada passo aumentava a distância entre eles e o terrível despotismo de que fugiam.

Todavia, eles logo tiveram uma prova de que ainda estavam na jurisdição dos Santos. Haviam chegado à parte mais selvagem e desolada do trajeto quando a garota deu um grito de surpresa e apontou para cima. Em uma rocha acima da trilha, destacada de forma nítida e escura contra o céu, havia uma sentinela solitária. Percebeu que havia sido notado e seu desafio militar de "Quem vem aí?" ecoou pelo silêncio da ravina.

— Viajantes a caminho de Nevada — respondeu Jefferson Hope, com a mão no rifle em sua sela.

Podiam ver a sentinela solitária segurando a arma e os fitando como se estivesse insatisfeito com a resposta.

— Com permissão de quem? — perguntou.

— Dos Quatro Santos — respondeu Ferrier. Sua experiência com os mórmons lhe ensinara que essa era a maior autoridade a qual ele poderia se referir.

— Nove por sete — bradou a sentinela.

— Sete por cinco — retornou Jefferson Hope prontamente, relembrando da contrassenha que havia ouvido no jardim.

— Passem, e que o Senhor esteja com vocês — disse a voz do alto.

Depois disso, o caminho se alargava e os cavalos conseguiram trotar. Olhando para trás, puderam ver o observador solitário apoiado em sua arma, e sabiam que haviam passado pelo último posto do povo escolhido, e que a liberdade estava diante deles.

CAPÍTULO V
Os Anjos Vingadores

Durante toda a noite, o curso deles passou por intrincados desfiladeiros e por caminhos irregulares cobertos de pedras. Perderam-se mais de uma vez, mas o profundo conhecimento de Hope das montanhas permitiu que eles recuperassem o rumo todas às vezes. Quando a manhã raiou, uma visão de beleza maravilhosa e selvagem estendia-se diante deles. Os grandes picos cobertos de neve os cercavam em todas as direções, espreitando sobre o ombro de cada um pelo horizonte distante. As encostas rochosas eram tão íngremes em ambos os lados que as árvores pareciam estar suspensas sobre suas cabeças e só seria necessária uma rajada de vento para derrubá-las por cima deles. Não era inteiramente um medo ou ilusão, pois o vale estéril estava densamente repleto de árvores e pedras que haviam despencado de uma maneira similar. Mesmo quando estavam passando, uma grande rocha veio rolando com um chocalhar rouco que causou ecos nos desfiladeiros silenciosos e assustou os cavalos cansados, que logo se puseram em um galope.

Enquanto o sol nascia lentamente acima do horizonte leste, um a um, os picos das montanhas se iluminavam como as lanternas de um festival, até ficarem corados e brilhantes. O magnífico espetáculo alegrou o coração dos três fugitivos e lhes deu nova energia. Pararam em uma torrente impetuosa que se despencava de uma ravina e deram água aos cavalos enquanto faziam um desjejum apressado. Lucy e o pai gostariam de descansar mais, porém, Jefferson Hope estava inflexível.

— A essa hora, eles já devem estar atrás de nós — explicou. — Tudo vai depender da nossa velocidade. Quando estivermos seguros em Carson, poderemos descansar pelo resto das nossas vidas.

Durante todo o dia, lutaram através dos desfiladeiros, e à tarde, calcularam que estavam a quase cinquenta quilômetros de seus inimigos. Quando a noite chegou, escolheram a base de um penhasco onde as rochas ofereciam proteção contra o vento frio e ali se amontoaram para se aquecer e desfrutar de algumas horas de sono. Antes de amanhecer, contudo, já estavam a caminho mais uma vez. Eles não viram sinais de quaisquer perseguidores, então Jefferson Hope começou a pensar que estavam mesmo fora do alcance da terrível organização em cuja inimizade eles tinham incorrido. Mal sabia o poder de alcance daquela mão de ferro, ou o quanto ela estava próxima de se fechar sobre eles e esmagá-los.

No meio do segundo dia de fuga, o estoque escasso de provisões começou a acabar. Isso não causou intranquilidade ao caçador, pois havia como caçar entre as montanhas, e ele já dependera muitas vezes de seu rifle para as necessidades da vida. Escolhendo um recanto abrigado, empilhou alguns galhos secos e fez uma fogueira, na qual seus companheiros puderam se aquecer, pois agora estavam a quase mil e quinhentos metros acima do nível do mar, e o ar estava ríspido e cortante. Tendo amarrado os cavalos e dito adeus para Lucy, ele jogou a arma sobre o ombro e partiu em busca de qualquer coisa que aparecesse em seu caminho. Olhando para trás, viu o velho e a jovem agachados perto do fogo intenso, enquanto os três animais ficaram imóveis ao fundo. Então as rochas os esconderam de sua visão.

Andou por alguns quilômetros por diversas ravinas sem ter sucesso, embora as marcas nas árvores e outras indicações lhes mostrassem que havia muitos ursos na região. Finalmente, após duas ou três horas de buscas infrutíferas, estava pensando em abraçar o desespero, quando olhou para cima e teve uma visão que encheu seu coração de prazer. No pico de um monte, cerca de cem metros acima dele, havia uma criatura que aparentava ser uma ovelha, mas possuía um par de chifres gigantescos. O carneiro-selvagem, pois assim era chamado, provavelmente estava agindo como o guardião do rebanho que estava invisível para o caçador; felizmente, no entanto, estava virado para a direção oposta e não o havia notado. Deitando de bruços, apoiou o rifle em cima de uma pedra e fixou a mira com estabilidade antes de apertar o gatilho. O animal saltou no ar, cambaleou por um momento sobre a borda do precipício, e depois despencou no vale abaixo.

A criatura era muito pesada para se carregar, então o caçador se contentou em cortar a coxa e o peito. Com esse troféu sobre os ombros, apressou-se a refazer os passos porque a noite já estava chegando. Contudo, mal começara a andar quando percebeu a dificuldade que lhe encarava. Em sua ânsia, vagou para longe das ravinas que eram conhecidas por ele, e não era fácil descobrir o caminho que havia tomado. O vale em que se encontrava era subdividido em muitos desfiladeiros, tão parecidos entre eles que era impossível distinguir um do outro. Seguiu por quase dois quilômetros até chegar a uma torrente de montanha que tinha certeza de que nunca tinha visto antes. Convencido de que havia tomado a direção errada, tentou outra, mas com o mesmo resultado. A noite foi chegando rapidamente, e estava quase escuro quando finalmente se viu em um desfiladeiro que lhe parecia familiar. Ainda assim, não era fácil manter o caminho certo, pois a lua ainda não havia surgido e os altos penhascos de ambos os lados tornavam a escuridão mais intensa. Vergado com o peso de seu fardo e cansado por conta do esforço, cambaleou pelo caminho, mantendo o coração firme na esperança de que cada passo o aproximava de Lucy e que levava consigo o suficiente para garantir comida para o restante da viagem.

Tinha chegado agora à entrada do desfiladeiro que havia deixado. Mesmo na escuridão, podia reconhecer o contorno das falésias que o delimitavam. Refletiu que eles deviam estar aguardando ansiosamente, pois tinha estado ausente por quase cinco horas. Com alegria no coração, levou as mãos à boca e emitiu um assobio forte, que ecoou pelo vale, como sinal de que estava chegando. Ele pausou e esperou uma resposta. Ninguém respondeu ao chamado, que passou triste pelas ravinas silenciosas e ecoou de volta aos seus ouvidos em incontáveis repetições. Gritou mais uma vez, ainda mais alto do que antes, e novamente não recebeu nenhum sussurro dos amigos que havia deixado havia tão pouco tempo. Um vago e desconhecido pavor caiu sobre ele, que correu freneticamente, e em sua agitação, largou o precioso pedaço de comida.

Quando atravessou a curva, viu claramente o local onde a fogueira fora acesa. Havia ainda uma pilha incandescente de cinzas de madeira, mas as chamas evidentemente não haviam sido alimentadas desde a sua partida. O mesmo silêncio mortal ainda reinava por toda parte. Com seus medos confirmados, ele se apressou. Não havia criatura viva perto do fogo: tanto o homem quanto a donzela e os animais haviam partido. Estava muito claro que um terrível e repentino desastre havia ocorrido em sua ausência – um que envolvera todos eles, e que, todavia, não deixara vestígios.

Desconcertado e atordoado por esse golpe, Jefferson Hope sentiu a cabeça girar e teve que se apoiar em seu rifle para não cair. Contudo, ele era essencialmente um homem de ação, e rapidamente se recuperou de sua impotência temporária. Aproveitando um pedaço de madeira meio consumido e com um pouco de fogo, soprou a chama e prosseguiu a examinar o pequeno acampamento. O chão estava todo pisoteado pelos cavalos, mostrando que um grande grupo de homens montados tinha levado os fugitivos, e a direção de seus rastros provou que voltaram para Salt Lake City.

Teriam eles levado seus companheiros? Jefferson Hope havia quase se convencido disso quando seus olhos perceberam um objeto que fez formigar cada nervo do seu corpo. Em um pequeno caminho de um lado do acampamento havia um pequeno monte de terra avermelhada que certamente não estava lá antes. Não havia como confundir isso com nada além de um túmulo recém-cavado. Quando o jovem caçador se aproximou, percebeu que haviam fincado um graveto com uma folha de papel presa na fenda. A inscrição era breve e ia direto ao ponto:

JOHN FERRIER,
ANTERIORMENTE DE SALT LAKE CITY,
MORREU EM 4 DE AGOSTO DE 1860.

O velho resistente, a quem ele deixara havia tão pouco tempo, estava morto, e esse era seu único epitáfio. Jefferson Hope olhou em volta com desespero para ver se havia um segundo túmulo, mas não havia sinal de um. Lucy tinha sido levada de volta por seus terríveis perseguidores para cumprir seu destino original, tornando-se parte do harém do filho de um ancião. Quando o jovem percebeu a certeza da sina dela e sua própria impotência para impedi-la, desejou que também estivesse deitado com o velho fazendeiro em seu último lugar de descanso silencioso.

Todavia, mais uma vez seu espírito ativo sacudiu a letargia que brotou do desespero. Se não lhe restava mais nada, pelo menos poderia dedicar sua vida à vingança. Além da perseverança e paciência indomável, Jefferson Hope também possuía uma firme sede de vingança, que talvez tivesse aprendido com os índios entre os quais havia vivido. Conforme ficava de pé ao lado da fogueira desolada, sentiu que a única coisa que poderia acalmar seu luto seria a completa retribuição contra seus inimigos alcançada por suas próprias mãos. Sua força de vontade e energia incansável deveriam ser dedicadas a esse fim, ele determinou. Com uma expressão sombria e lívida, refez seus passos até onde havia deixado a comida cair e, depois de alimentar as chamas, cozinhou o suficiente para durar por alguns dias. Colocou as coisas em uma trouxa e, ainda que estivesse cansado, obrigou-se a caminhar através das montanhas no intuito de rastrear os Anjos Vingadores.

Durante cinco dias caminhou firme e cansado pelos desfiladeiros que já havia atravessado a cavalo. À noite, jogava-se em algumas rochas e tirava algumas horas de sono, mas antes do raiar do dia já estava a caminho. No sexto dia, alcançou o cânion da Águia, de onde haviam começado a fuga malfadada. Dali ele poderia olhar para a terra dos Santos. Desgastado e exausto, apoiou-se em seu rifle e balançou ferozmente a mão magra para a cidade silenciosa que se estendia abaixo dele. Enquanto a observava, percebeu que havia bandeiras nas ruas e alguns outros sinais de festividades. Ainda estava especulando sobre o que isso poderia significar quando ouviu o barulho dos cascos dos cavalos e viu um cavaleiro se seguindo em sua direção. Ao se aproximar, ele reconheceu o mórmon chamado Cowper, a quem prestara serviços em diferentes épocas. Portanto, abordou-o a fim de descobrir qual tinha sido o destino de Lucy Ferrier.

— Sou Jefferson Hope — disse ele. — Você deve se lembrar de mim.

O mórmon olhou para ele sem disfarçar o espanto – na verdade, era difícil reconhecê-lo como o jovem caçador de outrora quando mais parecia um andarilho esfarrapado e desleixado, com rosto cadavérico e feroz e olhos selvagens. Tendo enfim reconhecido a identidade de quem o chamara, a surpresa do homem deu lugar à consternação.

— Você é louco de vir aqui! — exclamou ele. — Corro risco de vida se formos vistos conversando. Há um mandato feito pelos Quatro Santos contra você por ter ajudado os Ferrier a fugir.

— Não os temo, ou o mandato — respondeu Hope com honestidade. — Você deve saber algo a respeito do assunto, Cowper. Eu lhe rogo por tudo que você ama para responder a algumas perguntas. Sempre fomos amigos. Pelo amor de Deus, não se recuse a me responder.

— O que é? — questionou o mórmon com dificuldade. — Seja rápido. As próprias rochas têm ouvidos e as árvores têm olhos.

— O que aconteceu com Lucy Ferrier?

— Casou-se ontem à noite com o jovem Drebber. Espere, homem, espere, parece que a vida se esvaiu de você.

— Não se importe comigo — disse Hope com sinceridade. Até seus lábios estavam pálidos e havia se afundado contra a pedra a qual estava inclinado. — Você disse casada?

— Casou-se ontem... é para isso que são as bandeiras na Casa da Investidura.[5] Houve alguma discussão entre o jovem Drebber e o jovem Stangerson a respeito de quem deveria ficar com ela. Ambos estavam no grupo que os seguiu e Stangerson tinha atirado no pai dela, o que parecia lhe dar uma melhor reivindicação, mas quando discutiram no conselho, o apoio ao Drebber era mais forte, então o Profeta a deu para ele. Mas nenhum deles a terá por muito tempo, no entanto, porque vi a morte em seu rosto ontem. Ela estava mais parecida com um fantasma do que com uma mulher. Você está indo, então?

— Sim, estou indo — retrucou Jefferson Hope e levantou-se de onde estava. Sua expressão estava tão dura e definida que poderia ter

---

5. Usada pela Igreja mórmon em alguns rituais de investidura ou ordenação em determinadas ordens sacerdotais.

sido esculpida em mármore, enquanto os olhos faiscavam com uma luz maligna.

— Para onde você está indo?

— Não importa — retorquiu, e pendurando a arma em seu ombro, desceu o desfiladeiro e se afastou para o centro das montanhas, para as cavernas das feras selvagens. Dentro delas não havia nenhum animal feroz mais perigoso do que ele próprio.

A previsão do mórmon não demorou a se cumprir. Se foi a morte terrível do pai ou os efeitos do casamento odioso ao qual tinha sido forçada, a pobre Lucy nunca levantou a cabeça novamente, mas definhou e morreu dentro de um mês. Seu marido embevecido, que tinha se casado principalmente por conta da propriedade de John Ferrier, não sentiu nenhum pesar em seu luto; mas suas outras esposas lamentaram a perda e a velaram durante a noite anterior ao sepultamento, como é o costume mórmon.

Elas agruparam-se ao redor do caixão nas primeiras horas da manhã, quando para o espanto e inexprimível medo de todas, a porta foi escancarada e um homem de aparência selvagem, castigado pelo tempo e com roupas esfarrapadas adentrou a sala. Sem olhar ou dirigir uma palavra para as mulheres encolhidas, caminhou até a figura branca e silenciosa que outrora contivera a alma pura de Lucy Ferrier. Inclinando-se sobre ela, pressionou os lábios contra a testa fria, e então, pegando sua mão, tirou o anel de casamento do dedo dela.

— Ela não será enterrada com isso! — gritou com um grunhido feroz e, antes que se levantasse um alarme, desceu as escadas correndo e foi embora.

O episódio foi tão estranho e breve que os observadores poderiam ter achado difícil acreditar em si mesmos ou persuadir outras pessoas, não fosse pelo fato inegável de que o anel de ouro que a havia marcado como esposa tinha desaparecido.

Por alguns meses, Jefferson Hope permaneceu entre as montanhas, levando uma estranha vida selvagem e nutrindo em seu coração o feroz desejo de vingança que o possuía. Histórias de uma figura estranha vista rondando os arredores foram contadas na cidade. Uma vez uma bala assobiou pela janela de Stangerson e se achatou na parede a poucos centímetros de distância dele. Em outra ocasião, quando Drebber passava sob um penhasco, uma grande pedra caiu sobre ele, que só escapou de uma morte terrível jogando-se no chão.

Os dois jovens mórmons não demoraram a descobrir o motivo desses atentados contra suas vidas e lideraram repetidas expedições nas montanhas na esperança de capturar ou matar o seu inimigo, mas sempre sem sucesso. Então, adotaram a precaução de nunca saírem sozinhos ou depois do anoitecer, e de trancarem suas casas. Depois de um tempo, relaxaram dessas medidas, porque nada foi ouvido ou visto do seu oponente, e esperavam que o tempo houvesse mitigado sua sede de vingança.

Longe disso, o que tinha acontecido fora o oposto: havia aumentado. A mente do caçador era de natureza dura e inflexível; a predominante ideia de vingança tomara posse dele de forma tão completa que não havia espaço para qualquer outra emoção. Porém, acima de tudo, ele era prático. Logo percebeu que até sua constituição forte não poderia suportar a tensão incessante a qual havia se colocado. A exposição e a falta de alimento saudável estava acabando com ele. O que seria da sua vingança se acabasse morto como um cachorro em meio às montanhas? E, no entanto, tal morte certamente o atingiria se ele persistisse. Sentiu que isso era contribuir para o jogo do inimigo, então, relutantemente retornou às antigas minas de Nevada para recuperar sua saúde e acumular dinheiro o suficiente para permitir-lhe prosseguir sem privação.

Sua intenção era ficar ausente por no máximo um ano, mas uma combinação de circunstâncias impresvistas o impediu que deixasse as minas por quase cinco anos. Todavia, no final desse período, a memória de seus erros e o desejo de vingança eram tão fortes quanto naquela noite marcante quando estava ao lado do túmulo de John Ferrier. Disfarçado e com um nome falso, voltou a Salt Lake City, sem preocupação com o que poderia acontecer com a própria vida, contanto que conseguisse o que ele considerava como justiça. Lá, encontrou más notícias à sua espera. Houvera uma cisão entre o Povo Escolhido alguns meses antes. Alguns dos membros mais jovens da Igreja tinham se rebelado contra a autoridade dos anciãos, e o resultado foi a separação de um grande número de descontentes, que saíram de Utah e se tornaram gentios. Entre eles estavam Drebber e Stangerson, e ninguém sabia para onde tinham ido. Rumores relataram que Drebber conseguira converter sua grande propriedade em dinheiro, o que o havia tornado um homem muito rico, enquanto seu companheiro, Stangerson, estava relativamente pobre. Contudo, não havia nenhuma pista quanto ao paradeiro deles.

Muitos homens, por mais vingativos que fossem, teriam abandonado todo pensamento de vingança em face dessa dificuldade, mas Jefferson Hope não vacilou por um momento sequer. Com a pouca habilidade que possuía, encontrou qualquer emprego que poderia pegar e viajou de cidade em cidade pelos Estados Unidos em busca de seus inimigos. Um ano sucedeu o outro, seu cabelo ficava grisalho, e ainda assim ele vagava, como um sabujo humano, a mente totalmente fixada no único objetivo a que dedicara sua vida.

Finalmente sua perseverança foi recompensada. Foi apenas um olhar de relance em um rosto em uma janela, mas aquele olhar lhe disse que os homens que ele procurava estavam em Cleveland, Ohio. Retornou aos alojamentos miseráveis com o seu plano de vingança todo arranjado. Aconteceu que, aquele Drebber, olhando de sua janela, tinha reconhecido o vagabundo na rua e lera o assassinato estampado em seus olhos. Correu a um juiz de paz, acompanhado por Stangerson, que havia se tornado seu secretário particular, e afirmou que estavam em risco de vida por causa do ódio e ciúme de um velho rival. Naquela noite, Jefferson Hope foi levado em custódia, e sem ser capaz de pagar a fiança, ficou detido por algumas semanas. Quando finalmente foi libertado, foi para casa de Drebber e a encontrou deserta: ele e seu secretário haviam partido para a Europa.

Mais uma vez o vingador foi frustrado, e novamente o seu ódio concentrado o incitou a continuar a perseguição. Entretanto, seus fundos estavam acabando e ele teve que retornar ao trabalho por um tempo, economizando cada dólar para a jornada que se aproxima. Por fim, tendo reunido o suficiente para se manter, partiu para a Europa e rastreou seus inimigos de cidade em cidade, aceitando qualquer atividade servil pelo caminho, mas sem nunca alcançar os fugitivos. Quando chegou a São Petersburgo, eles haviam partido para Paris; quando os seguiu até lá, soube que tinham acabado de partir para Copenhague. Na capital dinamarquesa, ele também chegou alguns dias atrasado, pois haviam viajado para Londres. Foi ali que finalmente os encontrou. Quanto ao que ocorreu ali, não podemos fazer melhor do que citar o próprio relato do velho caçador, conforme devidamente registrado no diário do Dr. Watson, a quem já devemos tanto.

CAPÍTULO VI

A continuação das reminiscências do Dr. John Watson

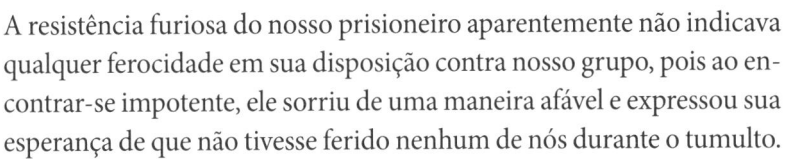

A resistência furiosa do nosso prisioneiro aparentemente não indicava qualquer ferocidade em sua disposição contra nosso grupo, pois ao encontrar-se impotente, ele sorriu de uma maneira afável e expressou sua esperança de que não tivesse ferido nenhum de nós durante o tumulto.

— Acho que me levarão para a delegacia — comentou ele com Sherlock Holmes. — Meu cabriolé está à porta. Se soltarem as minhas pernas, seguirei até lá. Não sou tão leve quanto costumava ser.

Gregson e Lestrade trocaram olhares, como se achassem aquela proposição bastante ousada, mas Holmes imediatamente acreditou na palavra do prisioneiro e afrouxou a toalha com a qual havia lhe amarrado os tornozelos. Ele se levantou e esticou as pernas, como se para se assegurar de que mais uma vez estava livre. Recordo que pensei comigo mesmo, conforme olhava para ele, que raramente vira uma estrutura física mais poderosa em um homem, e seu rosto queimado pelo sol tinha uma expressão de determinação e energia que era tão formidável quanto a sua força física.

— Se houver uma vaga para a posição de chefe de polícia, reconheço que é o homem para isso — afirmou ele, olhando com indisfarçada admiração para o meu habilidoso companheiro. — A maneira que seguiu meu rastro foi notável.

— É melhor que venham comigo — falou Holmes aos dois detetives.

— Posso levá-los — disse Lestrade.

— Bom! E Gregson vai dentro comigo. Você também, Doutor, já que teve um interesse nesse caso, e pode muito bem continuar conosco.

Aceitei de bom grado e todos descemos juntos. Nosso prisioneiro não fez nenhuma tentativa de fuga, e entrou calmamente no cabriolé que havia sido seu, e nós o seguimos. Lestrade sentou-se na boleia do cocheiro e, chicoteando o cavalo, guiou-nos rapidamente ao nosso destino. Fomos levados a uma pequena sala onde um inspetor de polícia anotou o nome do prisioneiro e os nomes dos homens que ele havia sido acusado de assassinar. O policial era um homem sem emoção, que exerceu suas funções de uma maneira mecânica e maçante.

— O prisioneiro será levado diante dos magistrados no decorrer da semana — avisou ele. — Nesse meio-tempo, Sr. Jefferson Hope, tem algo que queira dizer? Devo avisá-lo que suas palavras serão registradas e podem ser usadas contra o senhor.

— Tenho muito a dizer — falou nosso prisioneiro lentamente. — Quero contar tudo aos senhores.

— Não é melhor reservar para o julgamento? — questionou o inspetor.

— Pode ser que eu nunca seja julgado — respondeu ele. — Você não precisa parecer tão assustado. Não estou pensando em suicídio. Você é médico? — perguntou, virando-se para mim com os olhos escuros e ferozes.

— Sim, eu sou — respondi.

— Então coloque sua mão aqui — pediu com um sorriso, apontando para seu peito com os pulsos algemados.

Obedeci e ao mesmo tempo tornei-me consciente de uma pulsação extraordinária e uma comoção que estava acontecendo dentro dele. As paredes de seu peito pareciam vibrar e tremer como um prédio frágil que contivesse um motor poderoso em seu interior. No silêncio da sala, pude ouvir um zumbido surdo que vinha da mesma fonte.

— Ora, você tem um aneurisma na aorta! — exclamei.

— É assim que eles chamam — disse ele placidamente. — Fui a um médico na semana passada para me consultar e ele me disse que é questão de tempo até que exploda fatalmente. Isso vem piorando há anos. Teve início com o excesso de exposição e a subnutrição nas montanhas de Salt Lake. Agora que já fiz o meu trabalho, não me importo com o pouco tempo que me resta, mas gostaria de deixar alguns relatos do caso. Não quero ser lembrado como um assassino comum.

O inspetor e os dois detetives tiveram uma discussão apressada sobre a conveniência de permitir que ele contasse a história.

— Você consideraria, Doutor, que há perigo imediato? — perguntou o primeiro.

— Certamente há — respondi.

— Nesse caso, é claramente o nosso dever, no interesse da justiça, tomarmos a sua declaração — afirmou o inspetor. — Você tem a liberdade, senhor, para dar o seu relato. Eu novamente lhe aviso que pode ser usado contra o senhor.

— Vou me sentar, com a sua licença — disse, unindo a palavra à ação. — Esse meu aneurisma me deixa facilmente cansado, e a briga que tivemos há meia hora não ajudou em nada. Estou à beira do túmulo e não tenho motivos para mentir para vocês. Cada palavra que digo é a verdade absoluta, e como vão usá-las não terá consequências para mim.

Com essas palavras, Jefferson Hope recostou-se na cadeira e começou a seguinte declaração notável. Falou de uma forma calma e metódica, como se os eventos que narrava fossem bastante comuns. Posso garantir a precisão do relato anexado, pois tive acesso ao caderno de anotações de Lestrade, do qual as palavras do prisioneiro foram retiradas exatamente como foram pronunciadas:

— Não lhes importa muito saber a causa do meu ódio por aqueles homens — afirmou ele. — É suficiente que saibam que eram culpados da morte de dois seres humanos, um pai e uma filha, e que, portanto, tinham perdido o direito às suas próprias vidas. Depois do lapso de tempo que passou desde o crime, era impossível que eu lhes garantisse uma condenação em qualquer tribunal. Mas, sabendo da sua culpabilidade, eu determinei que seria o júri, juiz e o carrasco, tudo em um. Os senhores teriam feito o mesmo se estivessem em meu lugar e se possuem alguma masculinidade.

"Vinte anos atrás, era para eu ter me casado com a garota da qual falei. Ela foi forçada a se casar com o mesmo Drebber, aquele que partiu o seu coração. Tirei o anel de casamento do seu dedo morto e prometi que, quando ele estivesse morrendo, seus olhos veriam aquele anel pela última vez, e que seus últimos pensamentos seriam sobre o crime pelo qual ele estava sendo punido. Carreguei o anel sempre comigo e segui Drebber e seu cúmplice por dois continentes até que os peguei. Eles pensaram que eu desistiria, mas não conseguiram fazer isso. Se eu morrer amanhã, como é provável, morrerei sabendo que meu trabalho neste mundo está muito bem-feito. Eles pereceram pelas minhas mãos. Não há mais nada que posso desejar ou esperar.

"Eles eram ricos e eu pobre, de modo que segui-los não foi tarefa fácil. Quando cheguei a Londres, meu bolso estava quase vazio e percebi que deveria fazer algo para sobreviver. Conduzir e cavalgar eram tão naturais para mim quanto andar, então me candidatei em um escritório de um dono de cabriolés e logo consegui o emprego. Tinha que pagar certa quantia por semana ao proprietário e o que sobrava poderia ficar comigo. Raramente sobrava muito, mas consegui me manter. O trabalho mais difícil foi aprender a me guiar, pois acho que de todos os labirintos que já foram construídos, esta cidade é o mais confuso deles. Embora tivesse um mapa ao meu lado, passei a me virar muito bem depois de situar os principais hotéis e estações ferroviárias.

"Demorou algum tempo até que descobrisse onde os dois cavalheiros estavam morando, mas perguntei e perguntei até que finalmente esbarrei neles. Estavam em uma pensão em Camberwell, do outro lado do rio. Quando os encontrei, sabia que os tinha à minha mercê. Minha barba tinha crescido e não havia chance de me reconhecerem. Eu os vigiaria até que minha oportunidade chegasse. Estava determinado a não deixar que escapassem novamente.

"Apesar de tudo, isso quase aconteceu. Para onde quer que fossem em Londres, eu sempre estava na cola deles. Às vezes os seguia em meu cabriolé, e às vezes a pé, mas o primeiro era melhor, pois então não havia forma de eles escaparem. Como era apenas no início da manhã, ou tarde da noite, que eu poderia ganhar qualquer coisa, comecei a ficar em atraso com o meu empregador. Mas eu não me importava contanto que pudesse colocar as mãos nos homens que desejava.

"Todavia, eles eram muito espertos. Deviam ter pensado que havia alguma chance de serem seguidos, pois nunca saíam sozinhos e nunca depois do anoitecer. Durante duas semanas, dirigi atrás deles e nunca os vi separados. Na metade do tempo, o próprio Drebber estava bêbado, mas Stangerson nunca foi apanhado baixando a guarda. Eu os observava dia e noite, mas nunca vislumbrei uma chancezinha sequer; mas isso não me desanimou, pois algo me dizia que a hora estava chegando. Meu único medo era de que essa coisa no meu peito pudesse estourar um pouco cedo demais e deixasse meu trabalho inacabado.

"Finalmente, uma noite eu estava seguindo pela Torquay Terrace, a rua em que eles estavam hospedados, quando vi um cabriolé parar na porta da pensão. Então,, algumas malas foram levadas e, depois de um tempo, Drebber e Stangerson adentraram e partiram. Chicoteei meu cavalo e esforcei-me para não perdê-los de vista, sentindo-me pouco à vontade porque temia que mudassem de hospedagem. Desceram na Euston Station, então deixei um menino segurando meu cavalo e os segui até a plataforma. Eu os ouvi perguntando pelo trem de Liverpool e o guarda respondendo que havia acabado de sair e que não haveria outro por algumas horas. Stangerson parecia incomodado com isso, mas Drebber estava tão satisfeito quanto antes. Na agitação, cheguei tão perto deles que pude ouvir cada palavra trocada. Drebber disse que tinha um pequeno negócio a fazer e que, se o outro esperasse por ele, logo voltaria para lhe encontrar. Seu companheiro protestou e lembrou-lhe de que haviam decidido ficar juntos. Drebber respondeu que o assunto era delicado e que precisava ir sozinho. Não pude entender o que Stangerson contrapôs, mas o outro explodiu em impropérios e o lembrou de que não era nada além de seu criado, e que não deveria lhe dizer o que fazer. Com isso, o secretário desistiu e simplesmente combinou com ele que, se perdesse o último trem, deveria voltar para o Halliday's Private Hotel. Então, Drebber respondeu que estaria de volta à plataforma antes das onze, e caminhou para fora da estação.

"O momento pelo qual tanto esperei finalmente tinha chegado, e meus inimigos estavam em meu poder. Juntos, eles poderiam proteger um ao outro, mas sozinhos eles estavam à minha mercê. Contudo, não agi com precipitação indevida. Meus planos já estavam formados. Não há satisfação na vingança a menos que o ofensor tenha tempo para perceber quem é aquele que o ataca e por que a retribuição tinha chegado a ele. Eu organizara planos que me permitiram a oportunidade de fazer o homem que me ofendera entender que seu antigo pecado o havia encontrado. Aconteceu que, alguns dias antes, um cavalheiro que estivera empenhado em examinar algumas casas da Brixton Road havia esquecido a chave de uma delas na minha carruagem. Foi reivindicada e entregue naquela mesma noite, mas, no intervalo, fiz um molde da chave e providenciei uma cópia. Foi assim que tive acesso a uma área desta grande cidade onde podia confiar que estaria livre de interrupções. Como conseguir que o Drebber fosse para essa casa era o difícil problema que agora eu tinha que resolver.

"Ele desceu a rua e entrou em algumas lojas de bebidas, ficando quase meia hora na última. Quando saiu, estava cambaleante e evidentemente muito bêbado. À minha frente havia uma carruagem de aluguel, e ele a chamou. Segui-o tão de perto que o focinho do meu cavalo ficou a menos de um metro do seu cocheiro durante o caminho inteiro. Seguimos pela Waterloo Bridge e por quilômetros de ruas, até que, para meu espanto, estávamos de volta ao Torquay Terrace, onde ele se hospedara. Eu não conseguia imaginar qual seria a sua intenção ao voltar para lá, mas o segui e estacionei meu cabriolé a aproximadamente cem metros da casa. Ele entrou e sua carruagem foi embora. Deem-me um copo de água, por favor. Minha boca ficou seca de tanto falar."

Entreguei-lhe o copo e ele bebeu tudo.

— Assim é melhor — disse ele. — Bem, esperei por quase meia hora quando, de repente, ouvi um barulho de pessoas lutando dentro da casa. No momento seguinte a porta foi aberta e dois homens apareceram, um dos quais era o Drebber, e o outro era um jovem que eu nunca tinha visto antes. Esse sujeito segurava Drebber pelo colarinho, e quando chegaram ao fim dos degraus, ele lhe deu um empurrão e um chute que o enviou para o outro lado da rua. "Seu miserável! Vou lhe ensinar a não insultar uma donzela direita!" gritou, balançando o porrete em sua direção. Ele estava tão nervoso que acho que teria dado cabo em Drebber com o porrete, só que o cafajeste cambaleou pela estrada o mais rápido que suas pernas permitiram. Correu até a esquina e então, vendo meu cabriolé, saudou-me e pulou para dentro. "Leve-me para o Halliday's Private Hotel", pediu ele.

"Quando o tive dentro da minha carruagem, meu coração saltava com tanta alegria que temi que, nesse momento, meu aneurisma pudesse explodir. Conduzi lentamente, refletindo qual era a melhor forma de agir. Eu poderia levá-lo diretamente para o campo, e lá, em alguma estrada deserta, ter minha última entrevista com ele. Quase decidi seguir por esse caminho quando ele resolveu o problema. O vício em bebidas o atacou novamente e ele me ordenou que parasse do lado de fora de um bar elegante. Entrou, deixando a ordem que lhe esperasse. Ali permaneceu até a hora de fechar, e quando saiu estava tão bêbado que eu sabia que o jogo estava em minhas mãos.

"Não pensem que eu pretendia matá-lo a sangue frio. Isso só teria sido uma justiça rígida, mas não conseguiria fazê-lo. Havia muito tempo eu tinha determinado que ele deveria ter a chance de salvar sua vida se escolhesse se aproveitar disso. Entre os muitos cargos que ocupei nos Estados Unidos durante minha vida de errante, fui certa vez zelador do laboratório do York College. Um dia, o professor discorria sobre venenos e mostrou a seus alunos um alcaloide, como ele chamava, que tinha sido extraído de um veneno para flechas sul-americano, e que era tão poderoso que a menor gota significaria morte instantânea. Vi o frasco no qual a preparação estava mantida, e peguei um pouco quando todos foram embora. Eu era um farmacêutico muito bom, então transformei esse alcaloide em duas pílulas solúveis, e coloquei cada uma delas em uma caixa com uma pílula semelhante preparada sem o veneno. Decidi naquele momento que, quando tivesse minha chance, os cavalheiros teriam a oportunidade de escolher uma da caixa enquanto eu ingeriria a pílula restante. Seria bem mais mortal e menos barulhento do que atirar com a arma abafada por um lenço. A partir daquele dia, sempre carregava as minhas caixas de pílulas comigo e tinha chegado a hora em que eu deveria usá-las.

"Era perto de uma hora de uma noite selvagem e sombria, com ventos fortes e chuvas torrenciais. Sombrio como estava do lado de fora, fiquei contente por entrar – tão feliz que poderia ter gritado de pura exultação. Se algum de vocês, senhores, alguma vez ansiou por algo durante vinte anos, e depois viram isso ao seu alcance, podem compreender os meus sentimentos. Acendi um charuto e o fumei para acalmar meus nervos, mas minhas mãos tremiam e minhas têmporas latejavam de excitação. Enquanto conduzia, pude ver o velho John Ferrier e a doce Lucy me olhando na escuridão e sorrindo para mim, de forma tão nítida quanto vejo todos vocês nesta sala. Permaneceram à minha frente durante todo o caminho, um de cada lado do cavalo, até que parei diante da casa na Brixton Road.

"Não havia uma alma a ser vista nem um som a ser ouvido, exceto pelas gotas das chuvas. Quando olhei pela janela, encontrei Drebber em um sono profundo de bêbado. Sacudi-o pelo braço e disse: "É hora de descer". Ele respondeu: "Tudo bem, cocheiro". Suponho que pensou que havíamos chegado ao hotel que havia mencionado, porque saiu sem dizer outra palavra e me seguiu pelo jardim. Tive que andar ao lado dele para mantê-lo firme, porque ainda andava aos cambaleios. Quando chegamos, abri a porta e o levei para a sala da frente. Dou-lhes minha palavra de que o pai e a filha estavam andando à nossa frente durante todo o caminho.

"'Está infernalmente escuro', disse ele, pisoteando ao redor. "Em breve teremos uma luz", respondi, acendendo um fósforo e acendendo uma vela de cera que tinha trazido comigo. "Agora, Enoch Drebber", continuei, virando-me para ele e segurando a luz próximo ao meu rosto. "Quem sou eu?" Ele me olhou por um momento com os olhos embriagados e então eu vi quando o horror surgiu neles, e convulsionou todo o seu semblante, o que me mostrou que ele havia me reconhecido. Cambaleou para trás com o rosto pálido e vi a transpiração surgir em sua testa, enquanto seus dentes rangiam. Ao ver isso, inclinei-me contra a porta e ri alto por muito tempo. Sempre soubera que a vingança seria doce, mas nunca tinha esperado pelo contentamento que invadia minha alma.

"'Seu miserável!" disse eu. "Segui-o desde Salt Lake City até São Petersburgo e você sempre me escapou. Agora, finalmente, suas andanças chegaram ao fim, pois um de nós não verá o nascer do sol amanhã." Ele se encolheu para ainda mais longe enquanto eu falava e pude ver em seu rosto que pensava que eu estava louco. E eu realmente estava naquele momento. As minhas têmporas pulsavam como marteladas e acredito que teria tido algum tipo de ataque se o sangue não tivesse jorrado do meu nariz e me aliviado.

"'O que acha de Lucy Ferrier agora?" exclamei, tranquei a porta e agitei a chave em seu rosto. "A punição demorou a chegar, mas finalmente o alcançou". Vi os lábios covardes tremerem quando falei. Ele teria implorado por sua vida, mas sabia que seria inútil. "Você vai me assassinar?" gaguejou ele. "Não há assassinato", respondi. "Quem fala em matar um cachorro louco? Que misericórdia você teve pela minha pobre querida quando a arrastou de seu pai abatido e a carregou para seu harém maldito e impudico?". "Não fui eu quem matou o pai dela!" ele gritou. "Mas foi você quem partiu seu coração inocente!" bradei alto, empurrando a caixa diante dele. "Deixemos que Deus julgue entre nós. Escolha uma e a engula. Uma é a morte e a outra é a vida. Eu tomarei a que sobrar. Vamos ver se há justiça sobre a Terra ou se somos governados pelo acaso".

"Ele se encolheu com gritos e súplicas de misericórdia, mas puxei minha faca e a segurei contra sua garganta até que me obedeceu. Então, engoli a outra pílula e ficamos de um de frente para o outro em silêncio por um minuto ou mais, esperando para ver qual viveria e qual morreria. Será que esquecerei a expressão que apareceu em seu rosto quando as primeiras dores avisaram que o veneno estava em seu sistema? Eu ri quando percebi e segurei o anel de casamento de Lucy diante dos seus olhos. Foi só por um momento, porque a ação do alcaloide foi rápida. Um espasmo de dor contorceu suas feições; ele jogou as mãos à frente, cambaleou e, então, com um grito rouco, caiu pesadamente no chão. Mudei sua posição com meu pé e pousei a mão sobre seu coração. Não houve movimento. Ele estava morto!

"O sangue estava escorrendo do meu nariz, mas eu não havia percebido. Não sei o que passou por minha cabeça para usá-lo para escrever na parede. Talvez tenha sido alguma ideia travessa de colocar a polícia em uma pista errada, porque me senti leve e alegre. Lembrei-me de um alemão encontrado em Nova York com a palavra RACHE escrito acima dele, o que naquela época foi discutido nos jornais como um crime das sociedades secretas. Imaginei que se isso havia intrigado os nova-iorquinos, também intrigaria os londrinos, então mergulhei o dedo no meu próprio sangue e escrevi em um lugar conveniente na parede.

"Então, fui até meu cabriolé e descobri que não havia ninguém ao redor, porque a chuva ainda caía ameaçadora. Eu tinha me distanciado quando coloquei a mão no bolso onde o anel da Lucy normalmente ficava e descobri que não estava lá. Fiquei desolado com isso, porque era a única lembrança que tinha dela. Pensando que poderia ter deixado cair quando me inclinei sobre o corpo de Drebber, dei meia-volta, estacionei o cabriolé em uma rua lateral e corajosamente voltei para a casa, pois estava pronto para enfrentar qualquer coisa para recuperar o anel. Quando cheguei lá, dei de cara com um policial que estava saindo e só consegui desarmar suas suspeitas fingindo estar irremediavelmente bêbado.

"Foi assim que Enoch Drebber encontrou o seu fim. Tudo que me restava fazer era encontrar Stangerson e repetir o ato, então a dívida da morte de John Ferrier estaria paga. Eu sabia que ele estava hospedado no Halliday's Private Hotel e fiquei vigiando o dia inteiro, mas ele não saiu uma vez sequer. Creio que ele tenha suspeitado de algo quando Drebber falhou em aparecer. Ele era esperto e estava sempre alerta. Se pensou que poderia me impedir ficando dentro do quarto o dia todo, estava muito enganado. Logo descobri qual era a janela do seu quarto, e, na manhã seguinte, aproveitei uma escada jogada atrás do hotel e subi por ela no fim da madrugada. Acordei-o e disse-lhe que chegara a hora em que deveria responder pela vida que tirara havia tanto tempo. Descrevi a morte de Drebber e dei-lhe a mesma escolha entre as pílulas envenenadas. Em vez de aceitar a chance que lhe ofereci, pulou da cama e voou em minha garganta. Em autodefesa, esfaqueei-o no coração. Teria dado no mesmo de qualquer maneira, porque a Providência nunca teria permitido que suas mãos culpadas escolhessem nada além do veneno.

"Tenho pouca coisa a acrescentar, e é bom, porque já estou exausto. Continuei conduzindo o cabriolé por um ou dois dias com a intenção de economizar e voltar para os Estados Unidos. Eu estava parado no jardim quando um jovem esfarrapado perguntou se eu era o cocheiro chamado Jefferson Hope e disse que minha carruagem era pedida por um cavalheiro no número 221B, em Baker Street. Fui até lá sem suspeitar de nenhum mal, e a próxima coisa que vi foi esse jovem me algemando e me imobilizando tão eficazmente como nunca vi na vida. Essa é toda a minha história, cavalheiros. Vocês podem me considerar um assassino, mas eu sustento que sou tanto um agente da justiça quanto os senhores."

A narrativa do homem havia sido tão emocionante, e suas maneiras tão impressionantes que todos havíamos escutado em absoluto silêncio. Mesmo os detetives profissionais, que estavam indiferentes a todos os detalhes do crime, pareciam profundamente interessados na história do homem. Quando ele terminou, ficamos alguns minutos sentados em quietude que só foi quebrada pelo roçar do lápis do Lestrade conforme ele dava os últimos retoques em seu relato.

— Há apenas um ponto em que gostaria um pouco mais de informação — disse Sherlock Holmes enfim. — Quem foi seu cúmplice que veio pegar o anel quando publiquei o anúncio?

O prisioneiro piscou jocosamente para meu amigo.

— Eu posso contar meus próprios segredos — respondeu ele —, mas não causarei problemas para outras pessoas. Vi seu anúncio e pensei que poderia ser uma armadilha ou podia ser o anel que eu queria. Meu amigo se voluntariou para ir descobrir. Acredito que concordará que ele agiu de forma inteligente.

— Sem sombras de dúvidas — respondeu Holmes cordialmente.

— Agora, senhores — declarou o inspetor gravemente —, as formalidades da lei devem ser cumpridas. Na quinta-feira o prisioneiro será levado perante os magistrados e suas presenças serão requeridas. Até lá, eu serei o responsável por ele. — Ele balançou o sino e dois guardas entraram e levaram o homem, enquanto meu amigo e eu saíamos da Delegacia e tomávamos uma carruagem de volta para Baker Street.

CAPÍTULO VII
A conclusão

Todos tínhamos sido intimados a comparecer diante dos magistrados na quinta-feira, mas quando o dia chegou, não houve necessidade do nosso testemunho. Um juiz superior tomou a responsabilidade do assunto e Jefferson Hope tinha sido convocado perante um tribunal onde a justiça estrita lhe seria feita. Na mesma noite após a sua captura, o aneurisma estourou e ele foi encontrado estirado no chão da cela pela manhã, com um sorriso plácido no rosto, como se tivesse sido capaz de relembrar uma vida útil e um trabalho bem-feito em seus momentos de morte.

— Gregson e Lestrade ficarão loucos quando souberem dessa morte — comentou Holmes, enquanto conversávamos sobre isso na noite seguinte. — O que acontecerá com a grande publicidade que pretendiam ter?

— Na minha opinião, eles não tiveram muito a ver com a captura dele — respondi.

— O que você faz neste mundo é uma questão pouco importante — retorquiu meu companheiro amargamente. — A questão é como agir para que as pessoas acreditem que você fez algo. Não importa — prosseguiu mais empolgado depois de uma pausa. — Eu não teria perdido a investigação por nada. Não me lembro de caso melhor. Simples como era, havia muitos pontos instrutivos.

— Simples! — exclamei.

— Bem, na verdade, dificilmente poderia ser descrito de outra forma — respondeu Sherlock Holmes, sorrindo da minha surpresa. — A prova da sua simplicidade intrínseca é que, sem qualquer ajuda, salvo algumas deduções muito comuns, consegui colocar as mãos no criminoso em um período de três dias.

— Isso é verdade — respondi.

— Eu já lhe expliquei que o que está fora do comum geralmente é um guia, e não um obstáculo. Ao resolver um problema desse tipo, o mais importante é ser capaz de raciocinar o caminho contrário. Essa é uma habilidade muito fácil e útil, mas não é muito praticada pelas pessoas. Nos assuntos cotidianos da vida, é mais útil raciocinar para o futuro, e assim a outra forma passa a ser negligenciada. Para cada pessoa que consegue raciocinar analiticamente, há cinquenta pessoas que podem fazê-lo sinteticamente.

— Confesso que não consegui acompanhar — revelei.

— Eu dificilmente esperava que fizesse. Deixe-me ver se posso deixar isso mais claro. Se você descrever uma sequência de eventos, a maioria das pessoas lhe diria qual seria o resultado. Elas podem juntar esses eventos em suas mentes e argumentar que algo acontecerá a partir deles. Existem poucas pessoas, no entanto, que em posse de um resultado, seriam capazes de evoluir em sua mente os passos que levaram ao desfecho. Essa é a habilidade a qual me refiro quando falo de raciocinar de trás para frente ou analiticamente.

— Entendi — disse eu.

— Esse foi um caso em que recebemos o resultado e tivemos que encontrar todo o resto por nós mesmos. Agora, deixe-me tentar lhe mostrar os diferentes passos do meu raciocínio. Para começar do começo, como sabe, aproximei-me da casa a pé, e com a minha mente totalmente livre de todas as impressões. Naturalmente, comecei examinando a estrada, e lá, como já lhe expliquei, vi claramente marcas de uma carruagem que tinha passado a noite ali, como verificamos no inquérito. Eu me convenci de que era uma carruagem de aluguel, e não particular, devido ao espaço estreito entre as rodas. Os fiacres em Londres costumam ser bem mais estreitos do que o *brougham* de um cavalheiro.

"Esse foi o primeiro ponto marcado. Então, caminhei lentamente pela trilha do jardim, que era composto por um solo argiloso, particularmente adequado para registrar impressões. Sem dúvida, pareceu-lhe ser uma mera linha de lama pisoteada, mas para meus olhos treinados cada marca em sua superfície tinha um significado. Não há nenhum ramo da ciência de detecção que seja tão importante e tão negligenciada quanto a arte de rastrear pegadas. Felizmente, sempre dei grande ênfase a isso, e tornou-se uma segunda natureza para mim após muita prática. Vi as pegadas pesadas dos policiais, mas também vi o rastro de dois homens que tinham passado primeiro pelo jardim. Era fácil dizer isso, porque em alguns lugares as marcas haviam sido totalmente obliteradas pelas outras que vinham acima delas. Dessa forma, meu segundo elo foi formado, o qual me disse que os visitantes noturnos estavam em dois, um notável pela sua altura (como calculei a partir do comprimento do seu passo), e o outro elegantemente vestido, julgando a partir da pequena e elegante impressão deixada por suas botas.

"Ao entrar na casa, esta última inferência foi confirmada. O homem bem-vestido estava diante de mim, então o alto cometera o assassinato, se um assassinato tivesse sido cometido. Não havia feridas no morto, mas a expressão agitada em seu rosto me assegurou que ele havia previsto seu destino antes de sobrevir a ele. Homens que morrem de doenças cardíacas ou de qualquer causa natural repentina de maneira nenhuma exibem esses traços em suas feições. Depois de cheirar os lábios do morto, detectei um leve cheiro azedo e cheguei à conclusão de que ele havia sido forçado a tomar o veneno. Pensei de tal maneira, mais uma vez, por causa do ódio e medo expressado em seu rosto. Cheguei a esse resultado pelo método de exclusão, porque nenhuma outra hipótese satisfaria os fatos. Não imagine que tenha sido uma ideia muito inusitada, pois a administração forçada de veneno é muito comum dentro dos crimes. Qualquer toxicologista lembrará imediatamente dos casos de Dolsky em Odessa e de Leturier em Montpellier.

"E agora vinha a grande questão do motivo. Não fora um roubo, porque nada tinha sido levado. Então, fora político ou por causa de uma mulher? Essa foi a questão que me confrontou. Eu estava inclinado para a última. Os assassinos políticos contentam-se em fazer o trabalho e fugir. Esse assassinato, pelo contrário, fora feito de uma forma deliberada e o perpetrador deixara seus rastros por toda a sala, mostrando que estivera lá o tempo todo. Deveria ter sido um motivo privado que pedia por uma vingança metódica, e não político.

Quando a inscrição foi descoberta na parede, eu estava mais decidido do que nunca em minha opinião. Aquilo era evidentemente para despistar. Quando o anel foi encontrado, no entanto, resolveu a questão. Claramente, o assassino usara isso para lembrar sua vítima de alguma mulher morta ou ausente. Foi quando questionei Gregson se ele havia perguntado, em seu telegrama para Cleveland, a respeito de qualquer ponto particular na carreira do Sr. Drebber. Você se lembra de que ele respondeu com uma negativa.

"Então, prossegui fazendo um exame cuidadoso da sala, o que confirmou a minha opinião sobre a altura do assassino, e me forneceu os detalhes adicionais sobre o charuto Trichinopoly e o comprimento de suas unhas. Eu já tinha chegado à conclusão, já que não havia sinais de luta, de que o sangue que cobria o chão tinha irrompido do nariz do assassino em sua empolgação. Pude perceber que a faixa de sangue coincidia com o rastro de seus pés. É raro que qualquer homem, a menos que seja muito forte, sangre desse jeito devido à emoção. Então, arrisquei a opinião de que o criminoso provavelmente era um homem robusto e de rosto corado. Os eventos provaram que eu havia julgado corretamente.

"Tendo deixado a casa, comecei a fazer o que o Gregson havia negligenciado. Telegrafei para o chefe de polícia em Cleveland, limitando minha consulta às circunstâncias relacionadas ao casamento de Enoch Drebber. A resposta foi conclusiva: dizia-me que Drebber já havia pedido a proteção da lei contra um velho rival no amor, chamado Jefferson Hope, e que esse mesmo Hope também já estava na Europa. Agora eu sabia que tinha a chave do mistério em mãos, e tudo o que restava era prender o assassino.

"Eu já havia concluído em minha mente que o homem que entrara na casa com o Drebber não era outro senão o mesmo que conduzia a carruagem. As marcas na estrada me mostravam que o cavalo tinha vagado de um jeito que seria impossível se houvesse alguém tomando conta dele. Onde, então, o cocheiro poderia estar a não ser dentro da casa? Mais uma vez, é absurdo supor que qualquer homem são levaria a cabo um crime deliberado sob os olhos, por assim dizer, de uma terceira pessoa que com certeza o trairia. Por fim, supondo que um homem desejasse perseguir o outro por Londres, que meios melhores poderia adotar do que se tornando um cocheiro? Todas essas considerações me levaram à conclusão irresistível de que Jefferson Hope poderia ser encontrado entre os cocheiros da Metrópole.

"Se ele tinha sido um cocheiro, não havia razão para acreditar que tivesse deixado de ser. Pelo contrário, do ponto de vista dele, qualquer mudança súbita provavelmente atrairia atenção para si mesmo. Então, por um tempo, ele provavelmente continuaria a executar seus deveres. Não havia razão para supor que estivesse usando um nome falso. Por que ele deveria mudar o nome em um país que ninguém conhecia o original? Portanto, organizei meu grupo de detetives de moleques de rua e enviei-os sistematicamente a todos os proprietários de carruagens em Londres, até que descobrissem o homem que eu queria. O quanto foram bem-sucedido e com que rapidez eu tirei proveito disso ainda está fresco em sua memória. O assassinato do Stangerson foi um incidente inteiramente inesperado, mas que dificilmente poderia ter sido evitado. Por conta dele, como sabe, tomei posse das pílulas, cuja existência eu já havia imaginado. Você vê, a coisa toda é uma cadeia de sequências lógicas sem quebra ou falhas.

— É incrível! — exclamei. — Seus méritos deveriam ser reconhecidos publicamente. Deveria publicar um artigo do caso. Se não fizer, eu faço para você.

— Pode fazer o que quiser, Doutor — respondeu ele. — Veja isso! — prosseguiu, estendendo-me um jornal. — Dê uma lida nisso!

Era o jornal *Echo* do dia, e o parágrafo ao qual ele apontava fora dedicado ao caso em questão e dizia o seguinte:

"O público perdeu um divertimento sensacional com a morte de um tal de Hope, que era suspeito do assassinato do Sr. Enoch Drebber e do Sr. Joseph Stangerson. Os detalhes do caso provavelmente nunca serão conhecidos, apesar de termos sido informados por fonte segura de que o crime foi o resultado de uma antiga rivalidade e uma contenda romântica, da qual faziam parte o amor e o mormonismo. Parece que ambas as vítimas pertenciam, quando jovens, aos Santos dos Últimos Dias, e Hope, o prisioneiro falecido, também vinha de Salt Lake City. Se o caso não teve outro efeito, pelo menos traz à tona a eficiência louvável da nossa força policial de detetives, e servirá como uma lição para todos os estrangeiros que perceberão que é mais sábio resolverem suas disputas em casa, e não trazê-las para o solo britânico. Não é segredo que o crédito dessa captura inteligente pertence inteiramente aos bem conhecidos policiais da Scotland Yard, Srs. Lestrade e Gregson. Aparentemente, o homem foi preso nos aposentos de um certo Sr. Sherlock Holmes, que tem mostrado algum talento na linha de detetive, como amador, e que, com tais instrutores, pode esperar que evolua sua habilidade. Espera-se que algum tipo de homenagem seja prestada aos dois policiais como reconhecimento de seus serviços."

— Eu não lhe disse quando começamos? — questionou Sherlock Holmes com uma risada. — Esse é o resultado de todo nosso *Um Estudo em Vermelho*: possibilitar que eles recebam uma homenagem!

— Não importa — respondi. — Tenho todos os fatos em meu diário e o público deve conhecê-los. Enquanto isso, você deve contentar-se com a consciência do sucesso, como o romano avarento...

> *"Populus me sibilat, at mihi plaudo*
> *Ipse domi simul ac nummos contemplar in arca."*[6]

---

6. Trecho da *Primeira Sátira*, de Horácio. Pode ser traduzido como "Vaiam-me na rua, mas eu em casa me aplaudo ao contemplar o meu dinheiro no cofre."

editorapandorga.com.br
/editorapandorga
@pandorgaeditora
@editorapandorga